世界の夜

非時間性をめぐる哲学的断章

布施 哲

航思社

はじめに

本書の構成を考えるにあたり、過去に執筆した論文を読み返してみようと思い立ったのはもう五年ほど前のことである。自身が書き終えてしまった文章を読み返すのを私は非常に苦手としており、校正さえ苦痛に感じるほどだが、その苦手な作業をとおして今回はある発見があった。それは、この一〇年間、結局のところ私は同じことばかりを考えていた、ということだ。つまり、「時間」という観念、もしくは想念が、日々繰り返される現実の行動を基盤としているという、ある意味、古典的ともいえるイデオロギー論の主題系に沿いつつ、言葉を変え、レトリックを変え、とりあげる個々の話題を変え、ようするに無節操に論じてきたことに気づかされたわけである。まさに「それをおこなう」ことで時間に追われる強迫観念の悪循環に嵌まり込む、自縄自縛のイデオロギーについてだ。

そのくだらなさにうんざりする一方で、しかし、私はマゾヒスティックな悪循環があっけなく中断され、あるいは霧消してしまう瞬間についても同時に考えずにはいられなかった。資本主義の経済発展が、定常的な経済活動を暴力的に中断させる「イノベーション」を取り込むかたちでなされる逆説を論じたシュンペーターや、予定表に組み込まれた政治過程を一気呵成に無効にしてしまうポピュリズムが現代民主主義の条件でもあることを示そうとしたラクラウは、通常、そのようには理解されづらいが、そうした中断、もしくは宙づりの瞬間を描いてみせているように私には思われた。あたかも、人間の〝真なる活動〟は、時間を止めるものであるとでもいわんばかりに。あるいはまた、時間が停止したその瞬間に、ひとは自動機械であることをやめ、自らの足で歩きだすことができるといわんばかりに。そう、黄昏時に飛び立つのは梟だけではない、と彼らはいっているのである――。

そしてシュトラウス。彼はマキアヴェッリの孤独な奮闘に、「始源」へと遡行することで凡常の暦や時間軸の無効を告げ、返す刀で革命のプロジェクトを遂行する卓越した指導者を切望するさまを見てとっていた。私は非常に長いあいだ、哲学者レオ・シュトラウスの読者であったが、今回はその理由もあわせて確認できたような気がした。私はマキアヴェッリに寄り添うシュトラウスの憂鬱を見ていたかったのだ。

本書は先述のように、結果的に同じ問題関心のまわりをぐるぐるとまわってはいるものの、各章はそれぞれが別の機会に書かれたものである。そうしたわけで、もしもこの書を手に取られたならば、読者の皆さんには気軽にどこからでも読んでいただければと思う。気の向くままにどの章からでも、あるいはどの行からでも。

二〇二一年初夏

世界の夜
——非時間性をめぐる哲学的断章

目次

世界の夜

非時間性をめぐる哲学的断章

第0章　台詞がなかったペルセースのために

序にかえて

労働と時間

シュメール、古代エジプトから古代東アジアの三王朝（夏、殷、周）にいたるまで、暦の概念がいつ頃、どこで生まれたのかをめぐる議論は、しばしば「最古の地」を競う現代のナショナリストたちの滑稽な遊戯となるが、時の経過という想念そのものに付される意味内容の変遷をたどる古典的研究には示唆に富むものも少なくない。たとえばカール・ポランニーはヘーシオドスの『仕事と日』に、神と自然への畏怖を抱きながら事物の移り変わりや循環に寄り添うことしか知らなかった者たちの日常を徐々に狂わせる、ある転換期の到来を見てとっている。

アトラースの姫御子《ひめみこ》、プレーイアデス（昴星《すばる》）の昇る頃に
刈り入れ、その沈む頃に耕耘《こううん》を始めよ。
この星は四十夜、四十日の間姿を隠し、
一年《ひととせ》の廻《めぐ》るがままに、やがて鎌を研ぎにかかる頃、
ふたたびその姿を現す。
これぞ野の掟であり、海近くに住む者にも、
また山峡《やまかい》に、波騒ぐ海原を遠く離れて、
豊穣の沃野に住む者も、等しく守るべきものじゃ。[*1]

農事暦叙事詩としてはおそらく人類最古の部類に属するこの作品は、作者の怠惰で自堕落な弟、ペルセースに説いて聞かせる訓戒という意図が込められていたが、ポランニーによれば、それは同時に、昔ながらの〝心得〟を暑苦しく力説する外観からは想像しづらい深刻さを含んでいた。『仕事と日』は「ギリシア的生活の挽歌[*2]」を奏でる未曾有の状況の判じ絵でもあったというわけだ。誰もが「等しく守るべき」ものとは、生まれた土地に根を張って生活する部族、胞族、もしくは氏族の成員が悠久の時とともに準拠してきた習わしなどではなく、新しい種類

の「掟」、すなわち、飢えないための労働指針であり、とりわけ、競争と倹約を命じられる労働者にあてがわれた、耳慣れない規律の原初形態であったとポランニーは考える。

「労働は決して恥ではない、働かぬことこそ恥なのだ」[*3]とへーシオドスは愚弟に言って聞かせるが、「このような労働の考えはまぎれもなく新しいものであって、ほんとうに自由なために労働への強制ということを知らないホメロス時代の精神《エートス》とは隔世の感がある」[*4]。この一節は、早くもへーシオドスの時代、自由が労働によって制限されない状態にすぎぬものとなっていたことを暗示している。この小さくまとめられた「消極的自由」は、はるか後代の「思想史」の語りのなかで反照的に理想化される都市国家《ポリス》の共和主義的自由とは異なり、労働によって限定され、境界づけられた自由である。それはすでに、「労働時間」の対概念であるかぎりにおいて実質を有する「自由時間」に変換されていた。

ポランニーはそれを「救いようのない絶望に満ちた状況[*5]」であるという。そうした「状況」

＊1　へーシオドス『仕事と日』松平千秋訳、岩波文庫、二〇一五年、五七頁。
＊2　カール・ポランニー『人間の経済Ⅱ』玉野井芳郎・中野忠訳、岩波現代選書、一九九八年、二七二頁。
＊3　へーシオドス、前掲書、四八頁。
＊4　ポランニー、前掲書、二七九頁。
＊5　同書、二七〇頁。

をもたらしたのは、しばしば「暗黒時代」などとも呼ばれる、数世紀におよぶ古代世界の一連の崩壊過程後期に、ドーリア人（スパルタ）が持ち込んだ鉄製の農具であった。初期の鉄器時代が正確にいつ頃、バルカン半島南端に到来したかは実際のところ定かではないが、とにもかくにも「ギリシア的生活」の日常を根底から変えてしまったのは、鉄が農具として一般化されたことによるものであったとポランニーは推し当てる。人々を共同体に結びつけていた紐帯が長い戦乱によって寸断されていたことにくわえ、鉄製農具がもたらす圧倒的な生産効率の向上と生産規模の拡大、そしてそれらをめぐる「競争」が、次々にばらばらになってゆく隣人同士の距離を後戻りができぬほど遠いものにしていった。「掟」は、力のある大地主が農奴へと堕した小農民に課すノルマに、勤勉を善とする道徳律の色合いをまとわせたものにほかならなかった。ここにおいて、土地に縛られ、階層に縛られ、因習に縛られていた人々は抽象的な労働力として勘定され、またそうであるがゆえに、労働力の再生産の場としての家族の重要性が説かれることにもなる――「家族が多くとも、ゼウスならば容易に巨大な富をお授けになれる、人手が多ければ、それだけ世話も行き届き、収入《みいり》もそれだけ増すことになる」[*6]。

土地への因習的な束縛からの解放は、しかし、彼らが別様な仕方で土地に縛られはじめたことを意味していた。いまや労働となった彼らの作業は、自然災害や天候不順のような不測の事態との格闘の連続となり、彼らの日常は、生活を質入れすることでかろうじて持続可能となる、文字どおりの自転車操業となったのだ。

詩的な潤色を取り去ってしまえば、『仕事と日々』はうんざりするような骨折り仕事の暦であり、そこには土地にへばりついて絶えず汗水流していなければならぬ者にたいする耳障りな警告、といった調子が読みとられる。それは、牧羊者だとか畑仕事の園丁だとか、半遊牧の作物摘み取りの人達に見られるような自然な生活の流れ、を乱すようになったある過酷な変化の記録なのである。(…)自分の土地で働く自由人は、ほとんど耐えがたいかたちの土地への隷従におちいっていた。土地は人間に、四季と植物の生命の厳格な信仰を通して命令を与えるようになった。このきびしい拘束の体制は、天候の気まぐれによっていっそうひどいものとなる。そのため人間は、屈辱的な不確実さという永遠の心配事にとりつかれてしまったのだ。機械の召使としての人間ということは、現代の問題としてよく理解されている。だが忘れられているのは、農業の原初的形態にあらわれた人間の自然への隷従、ということである。[*7]

自然を制御する技術が甚だ未成熟であったがゆえにではなく、むしろ革新的な技術の導入こそが、人々を「自然への隷従」へと導いた。たしかに、それまでも、乏しい技術力しか持ち合わ

*6　ヘーシオドス、前掲書、五六頁。
*7　ポランニー、前掲書、二七一頁。

せていなかった小農たちはつねに「天候の気まぐれ」に悩まされ、飢えや貧困と隣り合わせの切羽詰まった状況にしばしば出くわしていただろう。しかし、「気まぐれ」への対処と隷従は同じものではない。つまるところ、隷従とはつねに、自然にではなく非＝自然的なものへのそれである。かつてエンゲルスは畜群の所有に私有財産の萌芽を見たが、それでも彼は、当然ながら、アブラハムを近代以降の所有者像と即座に重ね合わせるようなことはなかった。[*8] 他方、ポランニーは、それが「近代的」であるかどうかは措くとして、農耕技術の唐突な発展のなかに、少なくとも競争にさらされた所有の原風景を見ていたようである。

鉄製農具の導入は見慣れた風景を、辺り一面、焦燥感や強迫観念、そして寄る辺なさで覆われたよそよそしい風景へと変貌させた。「仕事を怠る者も、延す者も、納屋を満たすことはできぬ」[*9]。競争と倹約に急き立てられながら、人々はその未視感に適応すべく――ヘーシオドスは弟に「適応せよ」と説いているのだ――日々の生活を「掟」とともに変えていった。次章以降で詳しく見るように、ヨーゼフ・シュンペーターが「イノベーション」と呼んだものが共同体にもたらす激変の実相とは、その語にまつわるこんにちの気軽なイメージとは異なり、ほとんどの人々にとってそのような「絶望に満ちた」ものであっただろう。イノベーションは生活世界を強引かつ包括的に変える。大変動のまったき否定性が反転して「発展」の契機として語られるのは、ずっとあとになってからのことである。ヘーシオドスが立ち会っていたイノベーションの現場にも、むろん、出来事を肯定的に総括する暇《いとま》などなかった。というのも、暇がないことこそが、そのイノベーションによってもたらされた当のものだったからである。それまでの凡常の暦――それがいかなるものであれ――はすでに、隙間なく予定の詰まった年間の工程表のようなものへと書き換えられつつあった。『仕事と日』は、ハイデガー風にいえば、人々が自覚的に労働者として自らを時間化する（sich zeitigen）ことで、少しずつ、あくせくと日程に追われる生き方しか思いつかぬようになってゆく記録でもあったのだ。

刺すごとき陽《ひ》の力が衰え、汗を吹き出す暑熱も和《やわ》らいで、
その力いとも強きゼウスが、秋の雨をお降らせなさると、
人間の身も俄《にわ》かに軽やかに動くようになる――

＊8　「だが、この新しい富はだれのものだったか？　はじめは氏族のものだったことは疑いない。だが、畜群の私的所有はすでに早くから発展していたにちがいない。いわゆるモーセの第一書の作者に父アブラハムがその畜群の所有者と見えたのは、家族共同体の長としてのアブラハム自身の権利のせいなのか、それとも氏族の事実上の世襲の首長としての彼の資格のせいなのか、どちらとも言いがたい。ただ、われわれは彼を近代的な意味での所有者と考えてはならないことだけは確かである」（フリードリヒ・エンゲルス『家族・私有財産・国家の起源』土屋保男訳、新日本出版社、一九九九年、七五頁）。

＊9　ヘーシオドス、前掲書、六〇頁。

> このころになればセイリオス（シリウス）の星が、終《つい》には死すべき人間の頭上を、
> 昼のうちに進むときは短く、おおかたは夜の時を占めるからだが――
> さてこの時期には、斧で伐《か》った材木にもっとも虫がつきにくい。
> 樹々は葉を地上に落とし、発芽をやめる。
> されば心して、この季節に木を伐れ、それが時節にかなった仕事なのじゃ。[*10]

「人間は労働によって家畜もふえ、裕福にもなる、また働くことでいっそう神々に愛されもする」[*11]。抜かりなく遅滞なく、「時節にかなった仕事」をこなしてゆくこと、そしてそのための準備をつねに怠らぬことが、神の恩寵にあずかることへとつながる。ここでは、しかし、宗教的信が経済活動を下支えする勤勉の「精神」に呼応したという、あの馴染み深い宗教社会学の図式を参照するかわりに、古典的「イデオロギー」概念に沿っていささか不格好で味気ない想像をめぐらせてみよう。工程表に則った労働を通じて、その行為遂行性において、まさに「主体」が形成され、同時に、主体が否応なしにそこに嵌って生きる轍《わだち》としての「時間」が措定される。時間は生の素朴な条件として対象化、自然化されるのであり、そのかぎりでアニミズムにおける物神化の対象にもなる。発音も表記も似ているためにしばしば混同される古代ギリシャの農耕神（Κρόνος, Kronos）と時の神（Χρόνος, Chronus）とのあいだには、神話の設定上の違いとは別種の、ある重要な推移が潜んではいないだろうか。シュロスのペレキューデースが時の

神を創作したとされるのは、ヘーシオドスが『神統記』を書いてから一世紀以上隔てた紀元前六世紀のことであった。その約百数十年間で、「過去‐現在‐未来」という轍に嵌りながら自らを時間化する――〝本来的〟であるか否かを問わず――ことが、誰にとっても疑問の余地なき生き方となったのだ――。

本源的例外について

時は刻まれ、出来事群は継起する。人はそれらに振り回されながら、脳に貯め込まれた刺激の痕跡を記憶と名付けて「過去」なるものを振り返った気になり、あるいはそこから翻って将来起こり得る何事かを予期しては不安に駆られ、希望を抱き、ときに「覚悟」を決めさえする。そんなことを繰り返しながら月日を重ねるという常識は、数値化された各種予報や予測によって〝科学的〟装飾が施され、ついには政治的人間《ホモ・ポリティクス》と経済人《ホモ・エコノミクス》の生き方を規定する最も基礎的な条件となっていった。漁に出るわけでもないのに天気予報の精度にこだわり、回遊魚でもないのに止まれば生きてはゆけぬと自らを脅しつついそいそと仕事場に赴き、現在の貪欲と先々へ

*10 同書、六〇‐六一頁。
*11 同書、四八頁。

の不安が混在した状態で、数ヶ月先の売買を取り決める契約を結び、日程表にねじ込んだ健康診断の結果を物憂げに眺めては明日からの節制を誓い、そんな人生を特別に愛おしいと思っているわけでもないのにゾウガメの余命を羨ましがる。一九世紀末から二〇世紀初頭にかけて、ポランニーを含め、ニーチェ、ハイデガー、レオ・シュトラウス、あるいはベンヤミンといった人たちが、そうした生き方を縁取る「均質で空虚な時間」の普遍化を問いの俎上に載せ得たのは、彼らがいずれも当時はまだ資本主義の後発地域であった中欧出身であったことと無関係ではないだろう。

そのうちのひとり、ゲオルク・ジンメルが一九〇三年にドレスデンでおこなった連続講義は、あたかもギリシャの暗黒時代から数えてわずか数年後の事の顚末を扱っているかのようであった。

> 大都市での生活術というものは、一個人の主観を超えたところにある確固とした日程表にすべての活動や相互の諸関係を定時的に組み入れることなしには考えられない。(…)複雑で広範囲に拡張されるというその性質上、大都市での生活には時間厳守、計算可能性、そして厳密さというものが強いられるのであり、それは貨幣経済や知性主義的な性質と密接に関係しているのみならず、生活の内実をも染めあげている。[*12](…)

いまやこの「生活術」が「大都市」だけのものであると考える者もいなければ、それ以外の「術」があり得るなどと想像する者すらほとんどいない。例外があるとすれば、社会からなんらかの理由で放逐された（と感じている）者たち、たとえば重篤な病人、失業者、手足や五感が不如意な者、浮浪者や一部の犯罪者などがそれに当たるだろう。しかし、もしもそうした社会的落伍者や病者が、彼らならではの、いわば「病者の光学」に照らして物事を眺める機会を一瞬でも得ることができたならば、その一瞬、彼らにとって事態はかなり違って見えるに違いない。すなわち、「時間」の流れに乗って浮遊するものすべての往来、都市の流動性という外皮をひとたび剝がしてみれば、誰もが「野の掟」への適応と不適応との狭間で右往左往する「例外」であるということだ。ヘーシオドスの訓戒から滲み出る弟への苛立ちは、本当は誰もが例外なく例外的であるという明確な意識から生じた苛立ち以外のなにであったろう。競争、倹約、節制を原則とした社会では、怠惰や不活動（inaction）は忌むべきものと見なされるが、それは「時節」に追い立てられるゲームの規則上そう見えるだけではないのか。いったい、誰

＊12　Georg Simmel, *Die Grosstädte und das Geistesleben.* 1903（ゲオルク・ジンメル「大都市と精神生活」『橋と扉』酒田健一ほか訳、白水社、二〇二〇年）。以下、本書において原書の書誌や原出所を記載している場合、原文からの邦訳はすべて布施による。なお、ジンメルの原文はベルリン・フンボルト大学のウェブサイトで公開されている電子版から（https://www.gsz.hu-berlin.de/de/gsz/zentrum/georg-simmel）。

がこの不愉快なゲームを始めたのか。あたりまえのように抱かれる日々の生活への不安にしても、それは煎じ詰めればゲームの運営者、もしくはメインプレーヤーを厚かましく自任しつつ調子づいている者たちの不安であって、われわれ個々人がそうした不快な心理状態を共有しなければならぬ道理がどこにあるというのか――。仮に兄が弟の胸のうちをこんなふうに読んでいたのだとすれば、それは兄自身が内心そのように思っていたからにちがいない。大変革の渦中にあったヘーシオドスにとってもまた、ゲーム開始の笛は理不尽に鳴らされていたのだ。

ニーチェ以降、フロイトが概念化を試みた不気味な「隣人」（Nebenmensh）にせよ、あるいはベンヤミンが「天使」の眼差しをとおして鳥瞰した商品世界の「廃墟」（Trümmer）にせよ、それらはいずれも、「大都市」の直中にあってその力学や「主体化」の作用をまったく寄せ付けない、ある原初的な不活動と停滞の別名ではなかっただろうか。それは、ふと気づくと「おまえの生はあそこで打ち捨てられているがらくたと同じ、剝きだしのままだ」と低い声で囁いている。それは、ヘルペス・ウイルスのように症状が治まったあとも体内に潜伏し続け、少しばかり体力が弱まるごとに〝健常な〟市民たちの歩みを一瞬鈍らせる。それだけではない。大規模な自然災害や深刻な経済危機などが定常的な政治経済の日程を宙づりにするやいなや、宿主を操るゾンビ・ウイルスのように、それは「主体」を自己破壊的な行動へと駆り立てることさえある。これまで潜在的であった不活性分子が突如として反転、活性化され、荒々しく顕在化するのだ。この喩えからすれば暴動とはさしずめパンデミックであるだろう。一九世紀からさらに遡る近代政治社会の黎明期、ホッブスがそのウイルスを「自然権」、もしくは端的に、自然権を行使する「自由」と呼び、そしてパンデミックをかつて「自然状態」と名付けていたことがここで想起されなければならない。

　ホッブス読解において外してはならない要点のひとつは、彼にとっての自由が「積極的」なものでも「消極的」なものでもなく、単にどうしようもないものであったということだ。ホッブスによれば、たとえばある兵士が兵役拒否の廉で主権者から死刑を宣告されたとしても、その兵士はなおもその裁定に反して兵役と処刑を逃れることが——実際に成功するかどうかはともかく——許される。対外的な〝国権〟発動の極点である戦争も国内法の最高刑／極刑も、いずれも自然権とその行使を抑制することはできないとされる。「万人」（omnes）の自由を前にして無効の宣告を下されるのは、むしろ主権者の主権／至高性であった。さらにホッブスは驚くべきことに、個々人がそうした手に負えない自然権を集団的に行使すること、つまり叛乱の可能性さえとりあげてそれを認める。

> たとえば多数の者が一体となり不当に主権者の権力に抵抗したり、または死刑に値する重罪を犯したりしたために、彼らのひとりひとりに死が待ち受けているばあい、彼らすべてが結束し、助けあい、防衛しあう自由はないものであろうか。それは確かにある。彼らは、自己の生命を守るだけであり、それは罪のあるなしにかかわらず、すべての人間に許され

ることだからである。[13]

ホッブスのこの考えはのちにロックの「抵抗権」を導くことになるが、中身は似て非なるものである。人民の「生命・自由・財産」の保全という、本来期待される役割を国家が果たしていようがいまいが、国家による法の執行に十分な正当性が備わっていようがいまいが、そして叛徒が重罪人であろうがなかろうが、最も原理的な水準においてホッブスの自由はいつでも無条件に行使され得るものとして想定されている。おそらくホッブスはさらに、「自己の生命を守る」という名目が、たとえ直情に駆られて誤った現状認識をした者たちの強弁であったり、あるいは誤認ですらない意図的な曲解にもとづくものであったりしても、究極的には彼らの軽挙妄動からその源泉を奪い尽くすことはできないと考えていた。というのも、そもリヴァイアサン創設時に交わされた《誓約》[14]（Covenant）自体が、手続き上、払拭しがたいある不条理もしくは飛躍を含み込んでいるからである。ロックの「自然（法）」概念とは異なり、「万人」の生来的な理性や平和的志向性などといったものを前提としないホッブスの議論には、死の回避から自然権の移譲へといたる過程に必然性がない。なにゆえ、闘争からリヴァイアサンへの移行が他のいかなる選択肢よりも理にかなっていると「万人」が等しく考えねばならないのか——。

くだんの《誓約》と、誓約後に当事者双方の合理的判断にもとづいて交わされる契約（contract）とをホッブスは峻別しているが、カール・シュミットの使い古された〝神学的〟表現を借用すれば、前者は法理的には「無から生じる」唐突なものでしかありようがない。諸契約が依ってたつ原初的《誓約》の唐突さは自由の制御不能性の精確な対応物であって、その痕跡を事後的に消し去ってしまうことはできないのだ。まさにこうした理由から、不条理の申し子たるリヴァイアサンへの叛乱に合法性の有無や道徳的な正邪を問うことは意味をなさず、また、それは《大義》をともなう抵抗や革命との連関も断たれている。ホッブス的叛乱は、原理的には、いわば〝造反無理〟の様相を呈しているのである。

　いったい、主権者は個々人の自然権行使を移譲され、絶対的な権能を付与された分割不能な《一者》ではなかったのか。リヴァイアサンとはかくも脆いガラス細工の置物だったのか――。たしかに、反動的「王党派」の烙印さえ押されて亡命を余儀なくされたホッブスにしてみれば、咎人とされた者たちや思いどおりに動かぬあぶれ者たちに叛乱の自由を認めるのはけっして望ましいことではなかっただろう。しかし、主権を担うはずの政治的権威が四分五裂している

＊13　トマス・ホッブス『リヴァイアサン』永井道雄・宗片邦義訳、中央公論社、一九七一年、二三七－二三八頁。なお、同引用箇所に関する議論を含むホッブス主権論については、拙著『希望の政治学――テロルか偽善か』（角川学芸出版、二〇〇八年）第二部第四章を合わせて参照されたい。

＊14　「誓約」という訳語は法政大学の長原豊氏からご教示いただいた。氏からは非常にしばしば、塞ぎきれない私の浅学と非才に当てる、いくつもの当て布をいただいている。この場を借りて厚く感謝を申し上げたい。

「〈自然〉状態」を思考の基点とするほかない状況に、彼は事実として置かれていたことを忘れるべきではない。王党派、独立派、長老派、会衆派、教皇絶対主義者（Papist）、下級地主層、毛織業者等々が、伏魔殿と化して久しい議会の内外で陸の怪物「ベヒモス」となって入り乱れ、ときに凄惨な殺戮を繰り返してはリヴァイアサンを執拗に流産させてゆく。『リヴァイアサン』ははじめから、死んだ子の歳を数えるようにして執筆されていたのだ。彼の人生は、怪物的な主権者の成長を見守りながら日めくりカレンダーを一枚一枚破ってゆく理想からは絶望的に遠く、その大半が悠長に日程表を眺める暇さえない混乱に囲まれていた。ストラフォード伯トマス・ウェントワース、カンタベリー大主教ウィリアム・ロード、そしてついには国王チャールズ一世までもが斬首され、かくして設立されたコモンウェルス（という名の軍事独裁体制）もわずか一〇年ほどの短命に終わると、ふたたびしゃしゃり出てきた復古主義者たちが墓場を掘り起こしさえして、護国卿と呼ばれた男の亡骸を貶める——大事小事を含め、低劣と下品をきわめた出来事群に接することが日常となっていたホッブスは齢《よわい》八〇にして『ベヒモス』を書き上げたが、好々爺になどなりようがなかったこの老人の著作には、「愚行」「愚者」「厚顔無恥」「偽善」といった語が無数に散りばめられている。

「人は皆」とホッブスはいう、「彼ら自身の役に立つあらゆるものを、さらに良いものが首尾よく設えられるまえに台無しにしてしまう愚者なのだよ」[*15]。誰もが例外なく愚者なのだといってホッブスは癇を立てる。愚者たちの叛乱、騒乱、そして闘争は、それらがどれほどの「愚行」(follies) であったとしても、とどのつまりどうにも止めようがない。さりとて「そのどうしようもなさこそが人の世だ」といった類いの、不快なほどに凡庸な〝人間のリアリズム〟に居直ることもホッブスは到底できなかった。かくして、この老哲学者は、怒りながら「人間の条件」ならぬ「条件としての人間」を綴り続け、そんな営為を望まぬ糧として残りたくもないこの世界に九〇年以上も居直ることなく居残った。なかば諦念を抱きながら、それでも抑えきれない怒りをベヒモスたちに向けるホッブスは、焦りや苛立ちとともに「愚かなる弟ペルセースよ」と呼びかけて説教を垂れるヘーシオドスにどことなく似ている。

「人間」の時代こその廃棄物

のちの章でも触れるように、レオ・シュトラウスはホッブスこそが近代以降の「世界史」創作の下地を準備したと主張する。社会に混乱と停滞をもたらす「愚行」の継起と考えられていたものは、後代の哲学者たち、なかんずくヘーゲルによって《歴史》なるものを前に進めるための否定的契機へと格上げされたが、そうした「弁証法」は、とにもかくにもホッブスが「闘

＊15　Thomas Hobbes, *Behemoth; or The Long Parliament*, The University of Chicago Press, 1990, p. 155.（ホッブス『ビヒモス』山田園子訳、岩波文庫、二〇一四年）

争」を共同体の構成原理の中心に据えたことによってはじめて導かれ得る論理であったというわけだ。古典時代には宇宙論が、中世には神学がそれぞれ人間のちっぽけな共同体を包摂する理《ことわり》を説明していたのに対して、ホッブスの政治学は、愚者たちの愚行にはいかなる形而上的な摂理によっても包摂される価値などないと言い捨てる。ヘーゲルの弁証法が逆転させたのは、まさにその無価値――そのどうしようもない混乱と停滞――であった。しかし、《歴史》の種をまいたホッブスを論じる際、シュトラウスがとりわけ重視するのは、歴史そのものではなく「人間」、つまり人間が愚者の群れから歴史の担い手へと格上げされたことのほうである。ホッブスが図らずも呼び水となったのは、闘争の担い手たる人間こそが《歴史》の主人公――主人ではなくとも――であり、《歴史》とはすなわち人間の歴史であるという着想であった。シュトラウスによれば、近代とは歴史主義を必然的な伴侶とする「人間中心主義」の時代である。

まずもって近代思想を近代思想として特徴づけるのは、その人間中心主義的な(anthropocentric)性質である、といえるだろう。コペルニクス主義を擁する近代科学のほうが先代の思想よりもずっと徹底して反人間主義的であるという事実と矛盾しているようにも見えるが、より立ち入った考察をしてみればそれは真実ではないことがわかる。(…)このことは近代哲学を見てみればなによりも明らかだ。近代科学が有する一般的な権威こそないものの、にもかかわらず近代哲学は近代科学におけるある種の善悪分別(conscience)、もしくは近代科学の意識なのである。最も名のとおった近代哲学書の書名を眺めてみさえすれば、哲学が人間の心の分析であること、もしくはそのような傾向にあることが理解できよう。（…）近代哲学に通底する着想は、全編をとおしてではないにせよ、いくつかの部分で非常に明らかだ。それはすなわち、あらゆる真実、ないしはあらゆる意味、あらゆる秩序、あらゆる美は、考える主体に、人間の思想に、人間に由来するというものである。有名な公式をいくつか挙げてみよう。「われわれはわれわれが作ったもののみを知る」――ホッブス。「悟性は自然に法を付与する」――カント。「以前にはほとんど知られていなかった、思想のノマドにおける自発性を私は発見した」――ライプニッツ。[*16]

「機械の召使としての人間ということは、現代の問題としてよく理解されている」とポランニーは前置きをしていたが、そのことが「問題」と見なされるのもまた、人間こそが「機械」の主人であるべきとする前提があってのことだ。内省的な「心の哲学」や中立的な「科学」はつねに、特定の「善悪分別」をおこなう「人間」に奉仕することがひそかに期待されている。科学が大衆化されたかたちで流通してゆくことに異を唱えるルソーや、あるいは近代哲学をブ

＊16　Leo Strauss, "Progress or Return ?," *Jewish Philosophy and the Crisis of Modernity*, State University of New York Press, 1997, p. 102.

ルジョア哲学と断じるマルクスとその追随者たちであればおそらく、その期待は「大都市の生活術」がいっそう〝洗練〟されたものとなる期待でしかないと付け加えるだろう。彼ら同様、シュトラウスもまた、哲学と科学が通俗化され、社会とそれを構成する人間に資することが望まれるような状況には強烈な嫌悪感を抱いていた。哲学／科学は、定義上、個別目的に仕えるものではないかぎりでのみ、その普遍性を担保され得る。「人や社会の役に立つ」などという大義は、哲学者シュトラウスにしてみれば偽《にせ》の大義にほかならなかった。

　人間中心主義は、人間が誰に臆することもなく互いに権利を主張し合うよう急き立てる。「万人」は闘争の担い手から、自ら立てた法に則って自身の活動や不活動の合法性と正当性を訴える市民へと〝文明化〟される一方、そうした訴えを起こすためのノウハウが重要な「生活術」となる。

> やはり必ずしもこのうえなく明瞭にというわけではないが、それでもはっきりと追跡確認できるのは、近代という時代においては諸権利に第一義的な位置づけがなされ、むろんとても重要なこととはされるものの、諸義務は二次的なものと見なされる傾向にある、ということである。[*17]

権利と義務とのあいだには端から相応性——権利には同等の義務がともない、逆もまた真なり

――などなく、実際にはいつの時代もどちらかが過重であったとシュトラウスはいう。[*18] 近代以降、権利に優位性があるという刷り込みがなされると、その結果としてもたらされたのは権利の道具化ともいえる状況であった。「人間」は「心」の赴くまま、必要なその都度、権利を行使することも行使しないこともできるようになったのである。〝闘争〟を通じて権利意識を尖鋭化させてゆくことがわれわれに課された〝義務〟であるとする、近現代版「野の掟」の如き規範化の論調まで登場するにいたる。[*19] そうした人間中心主義の時代、「掟」からはぐれるペルセースは、行使すべき権利を行使しようとも求めようともせず、それゆえ、「中心」に鎮座するにふさわしい「人間」として扱われない風潮にしばしば曝されていた。あとで触れるように、ローマからの「国権」独立の機運が高まる一六世紀を転換点として打ち立てられたイングランドの労働政策は、そうした風潮が大規模に制度化された最初の残酷な事例であったろう。以後、誰もがみな愚者であることへの怒りと、そんな愚者たちの自由に対する苛立ちは、ホッブス自らが蒔いたとされる種から芽吹いた「人間」のための諸装置、諸機構が細部にわたって複雑化

＊17　*Ibid.*, p. 103.
＊18　「神学の時代」以前のヨーロッパにおいて、権利は義務の派生物でしかなかったとシュトラウスは述べている。*Ibid.*, pp. 102-103.
＊19　こうした論調を展開した代表例は、もちろん、イェーリングである（ルドルフ・フォン・イェーリング『権利のための闘争』村上淳一訳、岩波文庫、一九八二年）。

されてゆくなかで、すっかり解消されてしまったかのようにも見えた。
しかし、先に見たジンメルの講義には、「大都市」に沈殿する別の可能性、ドイツ国内のその後の成り行きに鑑みれば明らかに不吉な可能性が、それとなく予見されている。断片化されたよそよそしい諸個人によって構成された社会を素描する彼の見解は、戦後盛んに論じられることになった都市の社会学を先取りするものであったが、とりわけそれは、ヴァイマール共和政以前のドイツにあってすでに、産業社会における「主体化」を拒む素朴な疎外論的自己像と、そうした拒絶自体を承認、受容してくれる解放的な偶像とを示唆するものでもあった。前世紀末以来続く急速な重工業化の直中で、都市の住人は忙《せわ》しい時間への埋没にささやかな抵抗をすべく、自身の個性やら特異性やらを大袈裟に語りたがるようになる。かくして語られる個人の〝内奥〟は「自分自身にさえ聞こえるように誇張されなければならない」が、その語りは実際には誰にも届かない。

個人の文化の萎縮と客観性の文化の肥大化というものは、ニーチェ以降、極端な個人主義の伝道者たちが大都市に向けた激しい憎悪の理由のひとつであるが、しかしまた、そうした伝道者たちがまさに大都市でこそ熱烈に愛されるのであり、不満足をかこつ者たちにとっての先駆者、救世主として住人たちには映るのである。[*20]

ジンメルが観察した大都市の住人たちは、「掟」によって定められた暦どおりに活動する〝自己〟に同一化しきれず、まっとうな「生活術」による諸権利の獲得をして自らの生き方たらしめることに二の足を踏む者たちである。彼らは、したがって、「階級意識」なるものに対しても距離感を抱きながら不本意な日々に倦んでいる。そんな彼らの鬱屈した心理状態に一定のかたちを与えてくれたのが「極端な個人主義の伝道者たち」であったというわけだ。この時点では、ニーチェの著作群はいくぶん斜に構えた「心の哲学」のひとつにすぎず、住人たちが「自由時間」におこなうガス抜きのきっかけを与えてくれる程度のものでしかなかっただろう。しかし他方で、都市には内省的であることを疾《と》うにやめてしまった者たち、都市の停滞と「剝きだしの生」を現実に生きている、がらくたのような者たちが事実として生みだされていたのであり、しかも彼らが存外な仕方で「不満足をかこつ者たち」と接合してしまう潜在性がじわりと醸成されていた。

　ジンメルは都市が「知性主義的」生活と不条理な実存との相克を調停する場となることに期待を寄せもするが、都市化があまねく進展、深化するなかで次第に可視化されはじめたのは、むしろ、何をもってしても調停されることがない者たちの一群であった。マルクスが「屑、ごみ、かす」と蔑んだルンペンプロレタリアートがそれである。彼らとジンメルが観察した大都

＊20　Simmel, *Die Grosstädte und das Geistesleben.*

市の住人たちとのあいだに共通項があるとすれば、当座、それは都市に対する否定的、もしくは冷めた距離の意識であるだろうが、両者に階級的な同質性はない。ルンペンプロレタリアートはもとより階級外の「人間」ならぬ人間だからである。この意味において、彼らはシュトラウスのいう「哲学者」よりもさらに浮世離れしている。「哲学者たちの身勝手かつ階級的な利益というのは、放っておかれることにあるのであり、最重要な諸々の主題について探究することに専念しながらも、地上においては祝福された者として生活するのを許されることにある」[*21]。つまり、シュトラウスによれば、哲学者たちが哲学に専念するためには、有閑階級（leisured class）ともいえる彼らの位置づけが社会的に承認されていなければならない。これとは対照的に、社会の「屑、ごみ、かす」たちが従事しているのは、物乞いであったり、場末の高利貸し――のちに〝金融業〟として承認されることになるが、マルクスにとってそれはルンペンプロレタリアートの醜類である――であったり、あるいは売春宿の女衒であったりといった具合である。彼らは都市のなかにあって都市から放逐されている。しかし、こうした者たちが、否定的距離感を捨てきれない他の者たち、少なくともかたちのうえでは諸階級に属して収まるべき鞘に収まっているはずの者たちの牽引役を演じ、革命的大変動の中心部を占めてしまうことがある。

それはさしずめ、がらくたによる「人間」の廃位であり、その唐突な簒奪の光景にこそ、フランスで「階級闘争」を期待していたマルクスがかつて出くわし驚嘆したものであった。すなわち、もしも才気に満ちたペテン師、「個人主義の伝道者」ではなく、伝道者の言葉をそのまま体現すると称するがらくたの《王》が、彼ら「大都市の住人たち」の浮遊した〝実存〟を首尾よく惹きよせ得たとすれば、そのとき、ニーチェの言葉が禍々しい現実感をまといだして現働化するのである。

わたしがあなたがたにすすめるのは、勤労ではない。闘いだ。平和ではない。勝利だ。あなたがたの勤労は戦いであれ、あなたがたの平和は、勝利であれ！[*22]

そしてそのとき、あらゆる権利獲得競争を否定する闘争が、倹約を無視する蕩尽が、定常的な暦への追従、隷従を拒む叛乱が、一気呵成に前景化する。無内容な掛け声とともに意味不明な連帯がなされ、そこかしこの街頭で暴力的な祝祭が繰り広げられる。マルクスが「茶番劇」（Farce）と表現したその様《さま》は、まさにリヴァイアサン設立時に交わされる不条理な《誓約》の

＊21　Leo Strauss, *Natural Right and History*, The University of Chicago Press, 1965, p. 143.（レオ・シュトラウス『自然権と歴史』塚崎智・石崎嘉彦訳、ちくま学芸文庫、二〇一三年）

＊22　フリードリヒ・ヴィルヘルム・ニーチェ『ツァラトゥストラはこう言った』氷上英廣訳、岩波書店、一九八二年、七六頁。

陰画だったのである。マルクスから遺産の一部を引き継いだエルネスト・ラクラウがアルゼンチンで見た光景も、帰するところそのようなものであった。ラクラウは「茶番劇」こそ、現代の革命が経由する唯一の里程標であるという確信とともに独自の民主主義論を展開したが、彼の脳裏に刻み込まれ、以後決して消えることがなかった政治の原風景は、通常抱かれる「民主主義」の理念からも概念からも諸規範からも程遠いものだ。それはまさに、流産され続けた《一者》のパロディ、がらくたの《王》の如きポピュリストが煽動する「愚者」たちの叛乱にほかならなかったのである。

時間外を考える――序の結び

ゲームへの参加はそれ自体が暴力的な強制をともなうこと、したがって、参加の拒絶もまた対抗的暴力たらざるを得ないことは、経済を含めた社会構造の大変革期に接して思索を深めた者たちと、そして彼らに着目する後代の思想家たちとが等しく認識してきたことであった。なかでも大変革、〝ちゃぶ台返し〟の計画的遂行、つまり革命を夢みる古き良き共産主義者たちであればなおのことだ。カソリック修道院の解体とそれに続く「囲い込み」の大規模化、「救貧法」(Poor Laws) の施行からノーフォーク農法の法的整備にいたるまで、一六世紀以後数百年にわたってイングランドで起きた一連の出来事群についてマルクスやらフーコーやらが言及するのは、起源に遡る歴史家の視点以上に、経済構造の革命的転変の過程には、古今変わらず経済領域外からの暴力が介在しているという考えに根差している。ヨーロッパの破局が目前に迫るなかでベンヤミンが書き遺した言葉も、そうした考えが表明された印象深い一例であり、いまもどこかで不幸な誰かが同様のことを同様の思いとともに口ずさんでいるにちがいない――「被抑圧者の伝統は、ぼくらがそのなかに生きている〝非常事態〟が、非常ならぬ通常の状態であることを教える」[*23]。

たとえば、教養深い知識人であると同時に側近や后にさえ容赦のない粛清を断行した絶対君主、ヘンリー八世の統治については、多くの歴史家たちがのちにしばしば言及することになるが[*24]、その苛烈さの描写においてはやはりマルクスのものが最も率直であるだろう。

＊23　ヴァルター・ベンヤミン「歴史哲学テーゼ」野村修訳、『ベンヤミン著作集1　暴力批判論』晶文社、一九九二年、一一八頁。

＊24　たとえば、英国国教会史やキリスト教史の研究で知られるダイアメイド・マックカロック（Diarmaid MacCulloch）はヘンリー八世を「テューダー朝のスターリン」と呼んで憚らない。*The Reign of Henry VIII: Politics, Policy and Piety* (Palgrave MacMillan, 1995)、アンソニー・フレッチャー（Anthony Fletcher）との共著 *Tudor Rebellions* (4th edition, Longman, 1997)、あるいはガーディアン紙に掲載されたアリソン・ウィアー（Alison Weir）の *Henry VIII: The King and His Court* (Ballantine Books, 2001) に対する彼の書評（Jul 21, 2001）を参照されたい。

老齢で労働能力のない乞食は乞食鑑札を受ける。これにたいして、強健な浮浪人には鞭打ちと拘禁とが科される。彼らは荷車のうしろにつながれて、身体から血が流れるまで鞭打たれ、それから、自分の出生地あるいは最近三年間の居住地に帰って「仕事につく」ことを宣誓しなければならない。なんという残忍な皮肉！　ヘンリー八世治下第二七年には、前の法が反復されるが、新たな追加によっていっそう厳しくされる。二度目に浮浪罪で逮捕されれば、鞭打ちが繰り返され耳を半分切り取られるが、三度罪を犯すと、その当人は重罪犯人であり共同体の敵として死刑に処せられる。[*25]

残酷な懲罰が付け加わったこの「掟」は、行政における事実上の最高位である大法官にまでのぼり詰めたトマス・モアを心底落胆させることになったが、結局のところ、一九世紀中葉にいたるまでイングランドの労働政策の基調であり続けた。さらにここで見落とすべきでないのは、それが福祉概念と対をなしていたことである。ヘンリー八世が「浮浪人」の弾圧とほぼ同時期に施行した救貧法は、エリザベスの時代になると、「老齢で労働能力のない乞食」や、やむを得ぬ事情で職に就けぬ「浮浪人」を救済する本格的な福祉行政の嚆矢となったが、それは他方で、正常な賃労働契約を結ぶことができ、なおかつ市場が媒介する〝正しい社会関係〟に参入し得る者に救済の対象を限定する、という政治声明でもあった。その限定から漏れた者は、したがって、いっそう言い逃れのできない「がらくた」、治安を乱す「共同体の敵」として認定され、

「左の耳たぶに烙印される」[26]。善なる女王エリザベス（Good Queen Bess）の意図がいかなるものであったにせよ、賃労働の強制と賃労働者の救済は、双輪となってともに経済人にあらざる者、いいいい強制に値しないい者を駆逐するのであり、以て〝市場の健全性〟を維持する強権の発露でもあった。

こんにち鞭打ちや耳たぶへの烙印がなくなったのは、「人間」が以前より文明化された結果、より寛容で人道主義的になったからなのか――。これはほとんど意味をなさない問いだろう。

＊25　カール・マルクス『資本論4』社会科学研究所監修、資本論翻訳委員会訳、新日本出版社、二〇〇三年、一二五八－一二五九頁。マルクスによるこの描写の実像については、法学者であり〝古典リカード派〟経済学者でもあったナッソー・シニアの『一八三四年救貧法委員会報告書』（Nassau William Senior, *Poor Law Commissioners' Report of 1834*）にほぼ同じ記述が確認できる。

A sturdy beggar is to be whipped the first time, his right ear cropped the second time, and if he again offends, to be sent to the next gaol till the quarter sessions, and there to be indicted for wandering, loitering, and idleness, and if convicted, shall suffer execution of death as a felon and an enemy of the commonwealth.

（強健な物乞いは、一度目には鞭打ちを、二度目には右耳を削ぎ落とされるが、彼がふたたび法令に背くものであれば、上級審までのあいだ次なる牢獄へと送られ、そこで放浪、徘徊、怠惰の罪によって起訴されるのであり、有罪判決が下されれば重罪人ならびに共同体の敵として極刑に処せられる）

同『報告書』は電子化された文書が Online Library of Liberty のホームページ上で公開されている（http://oll.libertyfund.org/titles/senior-poor-law-commissioners-report-of-1834）。

＊26　マルクス、前掲書、一二五八－一二五九頁。

人の「心」のありようやその推移について揣摩臆測を重ねることは、シュトラウスが不快感を示した当のものであったことを思い起こしてみよう。すなわち、「あらゆる真実、ないしはあらゆる意味、あらゆる秩序、あらゆる美は、考える主体に、人間の思想に、人間に由来する」という、あのイデオロギーのことだ。それは残虐さを解消した要因ではなく、残虐さそのものの差し添えである。むしろ、「心」のありようが語られるほどに「大都市の生活術」は中性化され、自然化されたままこんにちにいたっているというべきだろう。むろん、このことは叛乱を導くホッブス的「自然権」が跡形もなく摩滅してしまったことを意味するものではない。主人であろうが奴隷であろうが、資本家であろうが労働者であろうが、「人は皆」愚者としてただ在る。パイを奪う速度と「生活術」の優劣を競い合う者たちの傍らで、不気味な隣人がいまだ間延びした表情のまま日々に倦んでいる。その「間延びした表情」が、しかし、不条理な過程を経て一気に硬直する瞬間がある。それはまさにベンヤミンのいう「現在時」(Jetztzeit)であり、それまで円滑に動いていたかに見えた凡常の暦が停止、霧消して、代わりに廃墟に放置されていたがらくたたちが動きだす瞬間でもある。本書はその瞬間に惹かれ、とらわれ、あるいは実際に立ち会った幾人かの思想家たち——シュンペーター、シュトラウス、ラクラウ——を中心に論じるものである。未来へのいかなる種類の空約束をも信じることができなくなって久しいわれわれが、暦の停止する「現在時」を横領せんとする醜悪な《王》に心奪われることがないよう願いつつ——。

第1部　シュンペーター

第Ⅰ章　シュンペーターの終末論

売文の徒

知識人を中世の修道院から解放したものが資本主義であったとしても、それは、後者が前者に、誰のご機嫌伺いをすることもなく〝学問〟に専念できる特別な地位を与えたことを意味するものではなかった――。ヨーゼフ・シュンペーターによれば、その〝解放〟は知識人が新たなパトロンのもとに寄生しだしたこと、あるいは、別種の仕官先を見出したことをこそ告げるものであった。いまやすっかり通常のビジネス用語にさえなった「イノベーション」や「アントレプレナー」などという言葉を結果的に流布させる一方で、マルクスへの賛同を隠し立てすることなく資本主義の不可避的な弱体化、あるいはその終焉をも大胆に予言したこの特異な経済学者によれば、その新たなパトロンとは、不特定多数の匿名化されたパトロン、すなわち資本主義の担い手たる大衆のことである。

甚だ脆弱なものであったにせよ、西欧社会においてこの新手のパトロンを最初に獲得したのは、のちに人文主義者と呼ばれる人たちであった。彼らは印刷技術という決定的な道具を与えられると、文献学に始まり哲学、あるいは宗教さえも、急速に自らの〝学問〟の対象としていったが、「それにもかかわらず、典型的な知識人は、当時なお異端者を待ち受けていた火あぶりという恐怖を甘受しえなかった」[*1]。つまり、彼らはいまだ支配各層への反逆的態度を表立って見せることができず、むしろ過度に突出せぬ配慮を余儀なくされていたのであった。知識人が王侯貴族や教会から十全に独立したかたちで自らの版図の拡大と影響力の浸透とを確固たるものとするためには、ルネサンス期から数えてさらに一五〇年ほどの歳月を待たねばならなかった。大衆への彼らの仕官がいわば〝内定〟段階のまま〝本採用〟にはいたらずにいたその一世紀半は、「かの物情騒然たる時代にヨーロッパ大陸のたいていの国に生じた資本主義発展の退歩とだいたい符合している」[*2]。

歴史の断片をこのように素描する経済学者の乾いた視線は、しかし、もっぱら西欧知識人のどことなく情けない過去にのみ向けられていたわけではない。歴史を引用することでシュンペーターが思い描くのは、過去ではなく未来、資本主義とそこで生きる知識人たちの未来のイメージであったことを、われわれは確認しておかなければならないだろう。

たとえばシュンペーターがヴォルテールに浴びせかけたひどく冷淡な言葉は、古めかしいパトロネージュからの巣立ちを遅まきながら成就させつつあった一八世紀の啓蒙主義者に対する辛辣な皮肉としてよりも、こんにちの知識人——彼の視界にはその現状が明確に入っていた——の戯画化として理解したほうがよさそうである。

ヴォルテールは、他のあらゆる点においてそうであるように、ここでもまたきわめて貴重な実例を与えている。宗教からニュートン光学にいたるまであらゆるものを一とおり論ずるのを可能ならしめたのものは、まさしく彼の皮相性であるが、それこそが不撓の気はくとあくなき好事癖、抑制の完全なる欠如、その当時の気分に対する誤りなき直覚とその全面的受容に結びついて、この無批判的な批判者、凡庸な詩人兼歴史家をして人を魅惑する

*1 ヨーゼフ・A・シュムペーター『資本主義・社会主義・民主主義』中山伊知郎・東畑精一訳、東洋経済新報社、二〇〇一年、二三二頁。本稿ではSchumpeter の日本語表記をシュムペーターではなく、シュンペーターで統一した。

*2 同書、二三二頁。

人にいっぱいくわせ、贈り物と地位とを受け取った。しかしそこには、つねに大衆のなかでの成功の堅実な基礎の上に立った独立性があった。[*3]

――かつ自らを売る――ことを可能ならしめたのである。また、彼はいらざる思惑をし、

近代の政治的自由主義を象徴する金言――「君の意見には反対だが、君がそれを主張する権利は命を賭して守る」――を残したといまでも噂される人物の知的「独立性」は、「堅実な基礎」、すなわちブルジョアジーや小市民階級を含む大衆に如才なく寄り添うことで得られた報酬にすぎず、また、そうした「基礎」への依存のゆえに、シュンペーターはヴォルテールに「無批判的な批判者」の烙印を押して憚らない。不特定多数の匿名化されたパトロンがなし崩し的に覇権を握る時代にあっては、最大多数の気を惹かんとする知的芸人のパフォーマンスは派手で扇情的であればあるほど、その見返りとしての「贈り物」にも期待がもてる。要するに、知識人が〝批判的〟素振りを見せれば見せるほどに「無批判的」になるという、大衆パトロネージュの泥沼がそこでは果てしなく広がることになるのだ。そのような泥沼に対する無自覚に関して、シュンペーターは過去の人物が当然抱えていた〝時代的制約〟なるものを酌量しない。それはあたかも、この仮借のなさ、「抑制の完全なる欠如」がここではヴォルテールを揶揄するシュンペーター自身のレトリックを指しているかのようである。

しかしながら、文字列を綴ってゆく際に利かせるべき「抑制」を自らかなぐり捨てなければ

ならないほどに、シュンペーターにとって、少なくとも産業革命以後現在にいたるまでの知的光景は、あまりに同時代的に感じられていたのではないだろうか。言い換えれば、その冷淡な視線が翻って現代の左翼的知識人に向けられるとき、彼が言い当てていたのは、われわれが西欧近代黎明期を容易《たやす》く相対化し得る地点には到底たどり着いていないということではなかったか。

資本主義の発展は労働運動を生み出したけれども、それは明らかに知識階級の創造物ではない。しかしかような好機会と知的造物主とがお互いに出会ったのは不思議ではない。労働者は、けっして知識人の指導を渇望していたわけではなかったが、知識人は労働者の政治的な動きに口ばしを入れた。そして彼らは重要な貢献をなしとげた。すなわち彼らはその運動を言語に表現し、そのための理論やスローガンを与え――階級闘争というのはそのよき例である――、労働運動をして自覚あるものたらしめ、そうすることによってその運動の意味を変化せしめた。（…）知識人のいうことに耳を傾けながらも、労働者は、あからさまな不信任といったものではないにしても、ほとんどがつねに越えがたい隔たりのあることを感じている。だから労働者をしっかりつかまえて、知識人でない指導者と競争する

＊3　同書、二三三頁。

ためには、知識人は労働者をしかりつけることのできる前者にとってはまったく必要でないような方向をとることを余儀なくされる。知識人は、労働者に対するほんとうの権威を全然もたず、余計なおせっかいをするなと無遠慮にいわれはしないかといつもびくびくしているので、お世辞をいい、約束をし、扇動し、左翼や仏頂づらの少数派の人々を慰撫し、いかがわしくもつまらない事件の世話をし、くだらないことまで取り上げ、つねに屈伏する用意のあることを公言せねばならない、——要するに、大衆のために行動せねばならない。[*4]

シュンペーターのいささかシニカルな見方からすれば、ブルジョア大衆の御用学問であるか労働者への「お世辞」であるかの違いは、相対的な違いにすぎないのだ。「最初は教会のおえらがたのために、次には諸侯や他の個々のパトロンのために、さらにのちにはブルジョア臭の強い集団的主人のために仕えた」[*5]すえに知識人がたどりついた近代的〝知〟のシステムは、確かに社会的諸価値を査定するための押しつけがましい基準を矢継ぎ早に設けてはいったが、その一方で不当な査定結果を押しつけられた者が用いるべき異議申し立てのための語彙、概念、あるいは戦略をもその都度用意してきたのであった。前者を体制的もしくは右寄り、後者を反体制的もしくは左寄り・進歩的等々と分類するのは、経済動向を数十年、場合によっては百年を超す単位で俯瞰しながらその全体像を捉えようとする経済学者の目には、あまり意味をなすものとしては映らない。[*6]

同様のことは、むろん、社会に対してなにがしかの知的介入を為さんと企てる諸言説以外の領域でも生じていた。たとえば「堅実な基礎」には目もくれず、むしろそこから離脱するだけよりいっそう価値あるものと思われがちな芸術にしても、事態はさして変わらなかったのである。芸術が資本主義とその力学からの「独立性」を確保し得ているなどと考えるのは、いまやそのあまりの素朴さを嘲笑されてしまうだろう。しかし、それはたとえば、芸術的なるものは芸術とは呼べないもの——〝アウラ〟なき産業社会の消耗品——の対概念としてのみその価値を見出される、といった類の単純な論理操作や、芸術作品はそれがそのようなものとして世に出されたときはつねにすでに経済的価値を担うひとつの商品になっている、といった、けっしてまちがいではないが同じく単純な経験的事実のみによって語り尽くされてしまうものではない。

＊4　同書、二四一頁。
＊5　同前。
＊6　しかし、資本主義社会内部の批判的言説が、資本主義そのものを脅かすことになる可能性は、今後は確実に増大してゆくだろう——。のちに触れるように、〝上部構造〟における相対的差異がやがて絶対的な差異へと変貌してゆくというのが、シュンペーターが提出した診断書の内容である。この点についても、やはりのちに見ることとする。

松宮秀治は、ラテン語で学芸／芸術／技術を意味する「アルス」（ars）が、一七世紀にはすでにその規範主義的な序列化とは明らかに異なる文脈に置かれつつあったことをきわめて明快に説明している。すなわち、支配各層の一般教養としての「術」と奴隷や肉体労働者の機械的・製作的「技術」とによって構成されていた優劣の二層構造がまずは瓦解しはじめたのであり、「そうなると当然、自由なアルスとしての〝芸術〟と不自由なアルスとしての〝技術〟の間に立ちはだかっていた障壁も取り壊される」[*7]。ルネサンス期のベーコンやそれに続くディドロなどは、そのような「当時の気分に対する誤りなき直覚」をもって、こんにちでいうところの「科学」と「技術」の進歩を強力に支持し得たのだ。他方、美学と美術史の誕生が「〝宮廷文化〟の欲望論から芸術を解放[*8]」することになるが、それもやはりアルスの古典的序列の瓦解を背景としてはじめて可能となるのであった。とりわけ、「芸術作品の具体的な理解や作品製作《ママ》における具体的な知識に関しては何ひとつ役に立つことのない[*9]」美学は、バウムガルテンやカントなどに代表されるドイツの偉大な哲学者たちの観念論、認識論を巧みに取り入れつつ、新しい市民社会の到来にふさわしい普遍的価値を芸術に附与した[*10]。

モノの函数

技術によってもたらされる人間の存在様態の本質的変化を論じる際、かつてハイデガーが

「ゲシュテル（Gestell）＝枠・骨組み、調達」という語を用いたのは、こうした事態、すなわち、芸術作品におけるかつての善や美の表象さえもが、かくして〝解放〟された技術との連関に不可避的に絡めとられつつ、その渦の内部へと囲い込まれてゆく事態を念頭に置いてのことであったろう。そこでは、人間が技術と同列に置かれ、渦を構成するひとつの要素として「調達」されているかのようだ。近現代の技術のあり方についてハイデガーがもっぱら否定的・悲観的なばかりであったのかどうかはここでは措くとして、ノルベルト・ボルツやフリードリヒ・キットラーといった同じドイツのメディア論研究者たちが、こんにちの言語や文化表象のあり方を考察するにあたってハイデガーの問題構制をそれぞれ少なからず共有しているのには、あらゆる意味で十分な理由があった。たとえばキットラーが、ときに思考や内面の基本的な表

＊7　松宮秀治『芸術崇拝の思想――政教分離とヨーロッパの新しい神』白水社、二〇〇八年、一二一頁。
＊8　同書、一三八頁。
＊9　同書、一三七頁。
＊10　松宮の鋭い指摘によれば、日本の場合、美学というジャンルは「わずか百ページに満たない英文のヘーゲル哲学要約書だけで〝美学〟論を講じた」フェノロサの呪文が奏功し、「国立大学に麗々しくも講座を開設維持できた」という経緯があり、しかも「ドイツ観念論の威光」を背後に据えたその呪文の様々な亜種は、「日本の知識人の深淵、難解崇拝」も相俟って現在でも一定の有効性を維持し得ている。同書、一三三－一三四頁。

現形式であるとみなされ、ときに思考そのものを条件づけているとも考えられてきた書字、すなわち文字を綴るということを、ソシュール以降の内省的な論理操作をするのではなしに、あっさりとメディア＝システム史における「所与」もしくは「出来事」として位置づけようとしたのは最も率直な事例のひとつである。タイプライターやキーボードで文字を綴るということは、いったいどのような「出来事」であるのか。

> 「記号が**存在する**」、「発話が**存在する**」〔それぞれ記号が与えられる、発話が与えられると読める〕――ハイデガーの弟子たるフーコーは、あらゆる前提の前提であるタイプライターのキーボードにただ一度遭遇するために、そのように書く。思考が停止しなければならないところでは、青写真、配線図、産業規格がスタートする。そうしたものは（厳密にハイデガーにしたがっていうと）存在の人間に対する関係を変えてしまい、人間はいまやそうしたものが永劫回帰する場所と化すしかない。いつも同じA、Z、E、R、T……[*11]

ゴチック体で強調された「存在する」とは、むろんハイデガー的な意味で存在が開示されるということである。しかし、ここでは人間がそれを綴り存在たらしめる特権的な担い手として想定されているわけではなく、ましてや静的な文字列がロゴス然と天上に鎮座し、〝主人〟として人間に自らを綴るよう命じるということではなおさらない。人間も書字も、それらは相互に入れ替え可能な主語や述語であるというよりは、シュンペーターであれば「資本主義過程」と呼んだ「出来事」の連鎖、技術の進展や産業動向がそこにおいて現出する結節点であり、媒介項であり、そして「場所」なのである──。晩年はほぼ身体障害者の状態であったニーチェは、キットラーによれば、あたかもこんにちのパソコンマニアのごとく、愛用するタイプライターの〝スペック〟にこだわりつつ、「自らが機械化されたことを公表するのに、他のどんな哲学者よりも誇りを覚えていた」[*12]という。「ともに作業」するタイプライターとのそうした一体化こそが、彼の仕事をして「論証からアフォリスムへ、思索から言葉遊びへ、修辞から電報文体へと変容」[*13]せしめた当のものなのであった。

資本主義過程、あるいは更新され続ける「産業規格」の連鎖がわれわれの生のありようを重層決定しているといわんばかりの主張は、アナクロニスティックな経済決定論であるか、はたまた一種のパラノイアであるかのようにきこえるかもしれない。実際、のちにふたたび触れるように、少なくともことシュンペーターに関していえば、彼は自らの経済決定主義を留保なし

＊11　フリードリヒ・キットラー『グラモフォン・フィルム・タイプライター』石光泰夫・石光輝子訳、筑摩書房、一九九九年、三五〇頁。引用文中の強調はキットラーによる。
＊12　同書、三一三頁。
＊13　この一文における引用はいずれも、同前。

に主張して憚らなかったのである。しかし現実には、すでにその〝パラノイア〟は、公式に〝健常〟なものとして認定される兆候を見せはじめてもいる。

ここで興味深い一例を挙げておこう。それは〝サイバースペース〟での「出来事」をめぐって米国で実際に起きた、ある裁判についてである。二〇〇八年三月、グーグルは三〇億ドルを超す資金を投じて「ダブルクリック」という会社の買収を完了させたが、同社は、以前からしばしばある問題点を指摘されてきた企業であった。その問題点とは、いわゆる〝プライバシーの侵害〟である。ダブルクリック社のビジネスモデルは〝インターネット・マーケティング〟と一般的に称されるものだが、つまりはその〝マーケティング〟手法がインターネット利用者のプライバシーを侵害しているということであった。ダブルクリック社は、われわれがインターネットを利用する際、閲覧用のブラウザソフトを通じてほぼ自動的に端末コンピュータにため込まれるCookie（クッキー）という小さなテキストファイルを介して、個々の利用者から閲覧履歴を同意なく入手し、その情報をもとに利用者のサイト閲覧傾向を分析する。そして、利用者が訪問するサイトに彼らが好みそうな商品を販売する提携先企業のバナー広告を掲載するのである。たとえば、ある利用者がインターネットで栄養補助食品を購入したとしよう。すると、その利用者がその後、天気予報や地図の確認をしに、あるいはニュース速報を閲覧しにまったく別のサイトを訪問した際、それぞれのサイトに〝おすすめ栄養補助食品〟のバナー広告が掲載されることになるわけだ。[*14]

クッキーというファイルは、もともとインターネット利用時の利便性を増すための仕掛けのひとつである。たとえばあるサイトで買い物をするたびごとに利用者が自身の住所やクレジットカード番号などを入力しないですむよう、当該サイト発行のＩＤ番号が書き込まれたクッキーが利用者の端末に仕込まれる。すると次回以降の同サイト訪問時には、そのクッキーが利用者の端末とそのサイトとのあいだで自動的に照合され、利用者は面倒な個人情報入力作業から解放される。ダブルクリック社は、利用者が自発的にキーボードを叩いて特定目的を果たそうとする際の利便性向上以外の用途で、このクッキーを自社の〝マーケティング〟に利用するのである。

米国の消費者団体や人権保護団体は、かねてからダブルクリック社のこうしたビジネスモデルに異議を申し立てていた。そして諸団体の抗議活動は連邦取引委員会を巻き込んだ大がかり

＊14　ダブルクリック社の〝マーケティング〟は、アナログ電話回線を用いたインターネット黎明期の事情とは大きく異なり、高速の広帯域常時接続が「所与」のものとなりつつあった九〇年代末から爆発的な成功をおさめ、同社を介した累計広告発信数は、二〇〇一年には全世界で一兆件に達していた。事実、ダブルクリック社は、〝ニューエコノミー〟――いったい当時、どれだけ多くの経済学者がこれを称賛したことだろう――という呼び名が気恥ずかしいものへと一変した〝ネットバブル〟崩壊後も、なんとか生き残り続けた数少ない〝ドットコム企業〟のひとつとなった。

なものへと発展し、二〇〇〇年一月末にはいくつかの連邦法ならびに州法違反のかどで、ついにダブルクリック社が告発されるにいたった。しかし、原告側の訴えに対するニューヨーク南地区連邦裁判所の判決は、その後に公表された連邦取引委員会の調査報告書同様、ダブルクリック社に対してきわめて寛容なものとなり、事実上原告側の敗訴で幕引きとなった。裁判所が原告側の訴えを退けた理由には、「クッキーを無効にする設定は端末側のブラウザ設定でいつでもできる」であるとか、「情報送信拒否の手続きをダブルクリック社のホームページ上でできる」等々、いくつかの技術的なものが含まれていたが、そこにはわれわれの〝パラノイア〟を悪化させるような驚愕すべきくだりがあった。

一見したところもっともな次のような議論をひとは思い浮かべるかもしれない。すなわち、ウェブサイトは受動的な情報貯蔵庫であり、インターネットにアクセスする〝利用者〟ではなく、人間が〝利用者〟なのであって、ウェブサイトは利用されるものなのだと。しかしながら、インターネットの工学技術はこうした説明を裏切るものとなっている。パケットスイッチングとダイナミックルーティングを通じたインターネットの機能のゆえに、人間の利用者は、いかなる意味においても、受動的な容器に接続して情報を得るものではなくなっているのである。実際、人間の利用者が直接ウェブサイトに接続するなどというのはあり得ないことだ。むしろ、人間の利用者はウェブサイトに一定の要求を送信しているだけであり、要求を処理し、求められている情報を提供するか否かを決定し、サーバから文書を取得し、その文書をＴＣＰ／ＩＰプロトコルへと翻訳し、パケットを送信し、受信を確認する、といった一連の作業をしつつ、そうした要求に対して積極的に応答しているのは、ウェブサイトのほうなのである。まさに、実際的な意味において、ウェブサイトはインターネットアクセスにおいて最も活動的な〝利用者〟である。[*15]

「〝利用者〟という語が実際に指示しているのは特定のコンピュータであって、特定の人間ではないということに注意する必要がある」[*16]——これがボードリヤールの愛読者による大仰な比喩やレトリックではないことに、われわれは素直に驚いたほうがよいだろう。ここで言及されているのは、コンピュータ内にある小さなテキストファイルとそれを用いて商売をする企業についてのみならず、パケットと呼ばれるデジタル信号の塊が行き交うデジタル通信網一般の実態についてである。この法的解釈によれば、コンピュータ本体もキーボードも、あるいはキー

＊15　United States District Court, Southern District Of New York, Master File No. 00 Civ. 0641, *OPINION AND ORDER*, Naomi Reice Buchwald (United States District Judge), pp. 26-27. なお、この騒動の顛末に関しては、拙稿「オンラインマーケティングとプライバシー」（『R&A 2001 May 5』ＫＤＤＩ総研、二〇〇一年、六－一四頁）を参照されたい。

＊16　*Ibid.*, p. 8.

を叩く人間の指も、さらには電気信号を介して特定の情報を引き出そうとする人間の意思や意図さえも、利用者／利用主体の一部をなすものとは見なされない。デジタル通信網にとっての人間とは、真に「最も活動的な〝利用者〟である」ウェブサイトに「利用」され「調達」される側へと転落することになるのだ。かくして皮肉にも、〝人的資源〟という〝疎外的〟概念は、労働運動も階級闘争もない、この吹けば飛ぶような仮想世界においてこそ最も純粋にその意味内容を獲得してしまうことになるわけである。

他方、高度な技術を有するハッカーが仮想世界において無許可で特定情報を盗み見したりコンピュータウイルスを無差別にばらまいたりすれば、「利用者」はとたんに〝通常〟の経験的な人間へとひき戻され、その罪は彼もしくは彼女の悪意に帰せられることになるだろう。その場合、「人間の利用者は、いかなる意味においても、受動的な容器に接続して情報を得るものではなくなっている」などということにはならない。おそらく、仮想世界での「出来事」に対する法の適用可能性や整合性にはすでに矛盾が生じはじめており、そのことは複製技術の未曾有の進展によってもたらされる著作権の問題や匿名での情報発信にともなう表現の自由の問題などにおいて端的に示されるように、今後も明白な争点としてことあるごとに社会問題化され続けるだろう。いくぶん大袈裟ないい方をすれば、われわれが現在かつてないほど強く意識せざるを得なくなっているのは、文字どおりの法の無能であるのかもしれない。

タイプライターは「書字の本質的なあり方を覆い隠し」「人間から手の本質的なあり方とい

う意義を奪い去る」[*17]とハイデガーは述懐した。しかし先述のように、こんにちわれわれが経験しているのは、キーボードを介した書字も人間も、ともにそれ自体としては積極的な「意義」をもたないものと解釈されてしまうような事態である。他方、キットラーはといえば、少なくとも彼はハイデガーが「本質的」と考えたものをそれほど本質的な重みをもつものであるとは考えておらず、「単独であり、空間化されていて、物質そのものであり、規格化されている活字のストック」が世界と世界内存在とを「空洞化してしまう」[*18]ことに悲観も楽観もしてはいないようだ。ただし、哲学的な考察が幾重にも交錯する彼の分析・記述に接するかぎり、どうやらキットラーがことの推移の中立的な記述者をもって自任しているだけにも思われない。政治的、社会的現象・事象の分析にしばしば用いられる「言説」という概念――彼はフーコーを念頭に置いているようだ――が、しばしば「所与がたんに方法論的な事例だというばかりでなく、そのつど技術における出来事、そしてじっさいに起きた出来事でもあるということを読み落としている」[*19]ことに対して、彼はあきらかに反対の意思表示をしているからである。平たくいえ

＊17　ハイデガーの講演録「手とタイプライターについて」より。キットラーの同書、三〇七－三〇九頁に所収。引用は三〇八頁。
＊18　この一文における引用はいずれも、同書、三五〇頁。
＊19　同前。

ば、ニーチェと対比されるハイデガーも、ソシュール以降の言語学も、そして言説分析も、キットラーにしてみればあまりに内省的であって、十分に唯物論的ではない――「同時代のあらゆる理論が提出しえた基本的なデータ（…）をすべて排除して」しまう[*20]――ということになる。

しかしその場合に謎めいてくるのは、そのようなキットラー自身の反対、不満、不同意は、いったいどこからくるのかということであるだろう。それが仮に、もったいぶった隠語群とともに理由づけをしては「自らが機械化された」ことを否認し続ける現代の知識人たちへの批判であるのだとしても、その批判が彼自身の個人的な〝批判的理性〟以外の何かに由来するのであるとすれば、それはいったい何であるというのか――。おそらくこの問いは、次のようなより一般的な問いにかかわるものでもある。すなわち、技術の進展は、愛用のタイプライターやコンピュータの買い替えを促すような選択的な変化にとどまらず、なにゆえ現代の知識人に、人間と機械、そして「世界」との関係性そのものが〝本質的〟な変化を遂げていると疑わせるのだろうか、という問いである。そうした疑念が、シュンペーターが揶揄した意味でのブルジョア大衆への擦り寄りからもう一歩抜けたところに生まれたものであるとすれば、今度こそ彼／彼女は自律的な〝批判的知識人〟たり得ているということになるのだろうか。シュンペーターの答えはむろん否であった。

資本主義過程の停止、あるいは暦の終焉

「合理的科学の発達とその応用についての広大なリストがある」とシュンペーターはいう。そのリスト上の品目はいずれも、彼がそこから「基本的なデータ」を抽出すべき「所与」と見なしていたものである。

飛行機、冷蔵庫、テレビジョンやこういった種類のものは、ただちに利潤経済の産物として認められうる。近代的病院は、原則としては利潤のために運営されるものではないけれども、なお次のような理由からして資本主義の産物にほかならない。それは、くりかえすように、資本主義過程がその手段と意志とを提供するのみならず、いっそう基本的には資本主義的合理性がかような病院で用いられる方法を発達せしむる習性をも与えたからである。(…)医術の場合をとっても、その方法の背後には資本主義的職業が控えている。資本主義的であるというゆえんは、第一はそれが大部分実業的な精神で働くこと、第二にそれが産業ブルジョアジーと商業ブルジョアジーとの混合物であることに存ずる。たとえそう

＊20 同前。

ではないにしても、近代の医術は、なお近代の教育や衛生学と同様に資本主義過程の副産物たるに相違ない。[*21]

むろん、シュンペーターが「資本主義過程の副産物」と見なすのは医学や工業製品の製作に転用可能な工学技術だけではない。ジョット、ミケランジェロからエル・グレコ、はてはセザンヌ、ゴッホ、ピカソ、マチスにいたるまでの画家の作品群や近代小説なども、彼が「資本主義的芸術および資本主義的生活様式」と呼ぶものに包摂されている。「資本主義的生活様式の発展は、たやすく――そしておそらくはもっとも効果的に――近代様式の社交室用スーツの起源という形で叙述されえよう」[*22]という彼の主張がまったくの冗談ではないとすれば、近代以降の西欧史に登場するほぼすべての主要な品目、ならびにそれら諸変数に囲まれ「生活」してきた人間の思考様式、感受性の形式が、あまねく資本主義過程という巨大な方程式のなかの機能（function）として、つまり、身も蓋もなく「社交室用スーツ」の函数（function）として位置づけられてしまうことになる。

ただし、それら数多の諸変数は、資本主義という名の鉄の法則・方程式による支配の永続性を例証するために列挙されたわけではない。むしろシュンペーターにとって重要なのは、変数（variable）のみならず方程式それ自体がどうしようもなく可変的（variable）であるということ、とりわけ、それが自己破壊の傾向を決定的に有しているということであった。そしてここにこそ、現代知識人の思考パターンを条件づけるものがあるとシュンペーターは考えたのである。

自らを〝予言者〟として位置づけることを執拗に拒み続けていたシュンペーターは、急逝までわずか九日という一九四九年の暮れ、会長職に就任して間もないアメリカ経済学会の講演で、マルクスがいたった結論の正しさをあらためて強調している。すなわち、「マルクスは資本主義社会が崩壊する態様についての診断において誤っていた。けれども、いずれにしてもそれが崩壊するであろうという予見においては誤っていなかった」[*23]。〝函数〟たる知識人の言説もまた、そうした資本主義の崩壊過程に随伴するかたちで展開されるのであり、しかも、批判的インパクトがあればあるほど、それはよりいっそう崩壊の症候として現象していることを意味する。つまりシュンペーターによれば、批判的言説の母胎は資本主義に内在するラディカルな可変性と自己破壊性なのであった。

先の引用で見たように、医術の発達さえもが資本主義的であるといわれる理由のひとつとして、それが「実業的な精神」によって貫かれているという点をシュンペーターは挙げていた。

＊21 シュムペーター、前掲書、一九六‐一九七頁。
＊22 同書、一九七頁。
＊23 シュンペーターの講演録、「社会主義への前進」より。同書、四一五‐四二五頁に所収。引用は四二五頁。

その「実業的な精神」というのは、もちろん医療関係者の隠れた〝商魂〟の類ではないが、さりとてウェーバーが想定したような、経済活動の担い手たちに内面化された宗教倫理でもない。それはむしろ、ドゥルーズ的な資本主義の自動機械、もしくはフロイト的な欲動（Trieb）に近いものとでも理解したほうがよいのであり、シュンペーター自身の言葉でいえば「合理化」の機制のあらわれである。

資本主義過程が合理化の過程であるというのは、一見したところ経験的に自明なことのように思われるだろう。また、ウェーバーの熱心な読者であれば、まさにそれこそがプロテスタンティズムにおける勤勉性の現象形態であるなどと拙速にいいたくなるかもしれない。しかし、シュンペーターのいう「合理化」は、ほかでもない資本主義自らの存続にとって、到底〝合理的〟といえるような代物ではない。というのも、それは、自らの成長過程のうちに内在しながら自らの終焉を加速化させるような動因にほかならず、たとえば社会システム論におけるシステムの自己維持機能などという観点からすれば、甚だ〝不合理〟かつ不条理な機制だからである。してみれば、シュンペーターの〝経済決定論〟は、どことなく終末論的な響きすら漂わせることになる。

資本主義の終焉をめぐるシュンペーターの立論を、大雑把に順を追って見てみよう。彼は経済が下部構造、あるいはアルチュセール的な最終審級であるという、至極わかりやすい前提からはじめる。

私はなんらの躊躇もなく次のようにいう。すなわち、いっさいの論理は経済上の決定様式から引き出されること、あるいは私の好きな句を用いれば、経済様式は論理の母型であること、これである。[*24]

経済を「母型」とする論理は合理化の論理に収斂するが、しかし、シュンペーターが意味するところの〝合理化〟は、そのままでは前資本主義的な時代にも見受けられるものであったとされる。たとえば、最も原始的な道具として「ゴリラでさえすでにその値うちを知っていた」棒きれが折れてしまったとき、「彼がもしその断片をつなぎ合わさんとして、あるいはまたそれに代わる他の棒を手に入れんとして、最良の方法を模索するならば、彼はわれわれの意味での合理的なのである」[*25]という具合だ。シュンペーターが抱く合理化の原初的イメージは、ざっとそのような単純な説明で事足りる。資本主義過程は、その道具に過剰な洗練を加え、絶えざる品質改良を重ねつつ、延々と「それに代わる他の棒を手に入れんと」することの反復であるが、ただし、そうした反復が首尾よく作動するためには二つの契機が必要になるとシュンペーターは説く。つまり、第一に貨幣をもって価値計測の単位とすることであり、第二に「近代科学の

*24 シュムペーター、前掲書、一九二頁。
*25 同前。

心的態度、すなわち、一つの問題を設定することと、ある方法でそれに解答を与えようとすることからなりたつ態度」[*26]が一般化することの二点である。そして、これまで見てきたいくつかの議論からも察せられるとおり、両者は相互に連関している。シュンペーターによれば、たとえば近代数学は「普通に〝資本主義の擡頭〟といわれている社会過程と歩調を合わせて発達したのみならず、さらにはまたスコラ的な考え方の要塞の外にあって、しかもその軽蔑的な敵対に直面しつつ発達した」[*27]のである。通常われわれが思弁的な作業と考えがちな、極度に抽象化された記号や数式の操作も、現実の経済活動・交換行為から抽出・抽象されたものにほかならない――。これはまさにマルクスのイデオロギー論の核心部であり、その後、西欧のマルクス主義者たちによって引き継がれた重要なテーゼのひとつであった。

貨幣と近代科学は、ともに実際の経済活動のなかから抽象・抽出され、のちに翻って自らの「母型」である経済活動をして資本主義過程へと変質せしめる決定力となった。しかし、その決定力は不可避的かつ不可逆的に暴走をはじめる。しかも、「近代の機械化された工場やそこから流れ出る大量の生産物、さらに近代技術や近代組織はいうにおよばず、近代文明のいっさいの特徴と業績も、これすべて直接間接に資本主義過程の産物である」[*28]以上、もはやこの世界の誰も、そして何も、その暴走を止めることができない。

資本主義的行動は貨幣単位を合理的費用＝利潤計算の用具に転化せしめる。複式簿記こそはその高くそびえる記念塔である。いまはこの点に立ち入ることをしないで、ただ次のことを注意しておこう。それは、第一義的には経済的合理性の発展の申し子たる費用＝利潤計算が、やがて逆にその合理性自体に反作用し、数量的な具象化と明確化とをつうじて強力に企業の論理を推進せしめることである。かくのごとく経済部門において明確化され数量化された型の論理、態度、方法は、次には人間の道具や哲学、あるいは医療方法、あるいはまた宇宙観、人生観のみならず、美、正義、精神的抱負の概念をも含む実際上いっさいのものを隷属させる――合理化する――征服者街道に乗り出すのである。[*29]

ここにいたって、資本主義過程はようやくその最終的な局面を迎えることになる。つまり、そのような合理化による「いっさい」の征服と隷属化の果てに待ち受けているのは、皮肉なことに資本主義システムの諸前提ならびに内実の漸次的な消滅であったというわけだ。その諸前提とは、端的に「私有財産」ならびに「自由契約」の概念である。

＊26　同書、一九四頁。
＊27　同書、一九三―一九四頁。
＊28　同書、一九六頁。
＊29　同書、一九三頁。

資本主義は自らの庇護者を次々に、そして静かに滅ぼしていった。〝静かに〟というのは、資本主義の担い手たちはけっして猛々しいスローガンとともに既成の覇権的諸力、支配階層に対抗し、いわんやそれらを打ち倒すような重大な政治的決定の当事者にはなり得ず、それどころか、こと政治的権威という点に関してはその片鱗すら持ち合わせてはいなかったからだ。むしろ、資本主義が外部的、非資本主義的な諸力――国王や封建諸侯から国民／民族国家の集中化された暴力装置にいたるまで――の直接的な攻撃対象となることを注意深く回避し、のみならず、それらをして自らの堡塁となすことにさえ成功したのは、その徹底的な政治的無能[30]のゆえにであった。ようするに、資本主義は非資本主義的なるものに依存してきたのであり、したがって、それが徐々に近代科学の〝客観性〟や〝中立性〟で脇を固めつつ、数量化された〝収益〟という呪文によってかつての主人をも虜にし、その聖域を侵蝕しはじめ、ついには実質的にその玉座を簒奪してしまったことは、皮肉にもほかならぬ資本主義自身にとって〝終わりの始まり〟を意味していた。すなわち、「資本主義は前資本主義社会の骨組みを破壊する際に、自己の進歩を阻止する障害物を打ちこわしたのみならず、さらにその崩壊を防いでいる支壁をも破壊してしまった[31]」のである。

しかし、資本主義過程による破壊はその非資本主義的庇護者にとどまらず、その担い手自身、つまりブルジョアジーにまで及んだ。企業の巨大化とともに、かつて起業家とその家族、そして従業員たちが抱いていた「働いて儲け、所有する」という基本的な動機、また、それを基層とした職能階層意識は限りなく希薄なものとなってゆく。経営責任者ですら、いまやそれが当然であるかのように企業家であるよりは一介の給与所得者、〝雇われ社長〟にすぎないのであっ

＊30 「非ブルジョア的ななんらかの集団による擁護がなければ、ブルジョアジーは政治的に無力であり、その国民を指導しえないばかりか、自分自身の階級的利益を守ることさえおぼつかない。それはブルジョアジーが主人を必要とするというに等しい」（同書、二一六頁）。いうまでもなく、二つの世界大戦を経験しているシュンペーターが「戦争政策によって経済あるいは社会的にそれぞれ個人として利益を受けるような人たちのもつ影響力が一つの役割を果たしている」（『帝国主義と社会階級』都留重人訳、岩波書店、一九五六年、一一五頁）ことに無頓着であったわけではない。ここで「戦争政策」というのは、ほかならぬ帝国主義戦争の政策である。しかし、シュンペーターに師事したポール・スウィージーは、「単に合理性と無関係なまたは非合理的な動機を認めるということそれ自体は、〝民衆の真の帝国主義〟という概念に〝途をひらく〟ことになるかもしれないけれど、〝社会的帝国主義〟の理論からは依然として遠く離れている」（スウィージーによる同書の「編者序説」、一三頁）といって、シュンペーターの帝国主義論と当時の左翼的知識人たちのそれとは〝温度差〟があったこと、さらには帝国主義に関して、『資本主義・社会主義・民主主義』とそれ以前の著作とでは、「シュンペーターがその考え方を変えた」（同序説、一一頁）ことを指摘している。ちなみに「社会的帝国主義」というのは、シュンペーターが同時代のマルクス主義経済学者であるルドルフ・ヒルファーディングや、とりわけ戦後オーストリアの〝建国の父〟、カール・レンナーの思想から大きな影響を受けていたことを物語るものである。

＊31 シュムペーター『資本主義・社会主義・民主主義』二一七頁。

て、「所有者的な姿とともに、とくに所有者的な利益が画面から消え去ってしまった」[*32]。他方、企業と労働者とのあいだで取り結ばれる雇用契約も、実質的には「非個人的な、官僚化された契約」[*33]にすぎず、ここにいたって「創造的破壊」を担う「アントレプレナー」は姿を消すこととなる。

かくして資本主義過程は、これらすべての制度、とりわけ私有財産制度と契約の自由の制度、を背後に押しやってしまう。しかもその制度こそ、真に「私的」な経済活動にとっての必須物と方法とを示すものであった。(…)資本主義過程は、工場の塀や機械の一片を株式に換えることによって、財産という観念からその生命を奪い去る。(…)財産の実体的内容——その目に見え、手に触れることのできる現実態——とも称しうべきものがかくのごとく霧消することは、ただ単にその所持者の態度に影響するのみならず、労働者や一般大衆の態度にも影響する。実体的内容を失い、機能を失い、しかも不在的な所有などというものは、いきいきした財産形態がかつて果たしたようには人の心をゆり動かし、道徳的忠誠を喚起しうるものではない。真にそれを擁護せんとして立ち上がるものは、ついに一人もなくなるであろう——大企業の領域の内外を問わず、一人もなくなるであろう[*34]。

資本主義過程に内在する数量化、合理化の機制は、まさに死の欲動のごとくに「財産という観念から」、あるいはむしろ経済活動そのものから「生命を奪い去る」。こうしてシュンペーターの読者であれば誰もが了解するひとつの命題が成立することになる——。それはすなわち、イマニュエル・ウォーラースティンの言葉を借りれば、「資本主義はその失敗のために崩壊するのではなく、その成功のために崩壊する」[*35]というものだ。

機械仕掛けの〝批判的理性〟

シュンペーターの〝終末論的経済決定主義〟は、政治思想史研究者たちにとってはマルクス以上に不快なものであっただろう。「労働こそ最も重要な人間の営みだとマルクスが言った途端、伝統とのかかわりで言えば、自由ではなく必然性こそ人間を人間的なものにするものだと言ったことになる」[*36]——たとえばこう評するハンナ・アーレントのような人にとって、マルクスの階級闘争論はそれ自体がまさに生存の必然に支配される経済的領域の突出を象徴したもの

＊32　同書、二二〇頁。
＊33　同書、二二一頁。
＊34　同前。引用文中の強調はシュンペーターによる。
＊35　イマニュエル・ウォーラースティン『脱商品化の時代——アメリカン・パワーの衰退と来るべき世界』山下範久訳、藤原書店、二〇〇四年、九四頁。

であり、けっして彼女が称賛することのできる見取り図ではなかった。他方、シュンペーターは、アーレントが『人間の条件』を上梓する一五年以上も前に、もはやそうした生存の必然にすら縛られない経済の力学、労働者はおろかブルジョア階級もひとしなみに「合理化」したあげく、ついには所有の概念すら死にいたらしめる資本主義過程の末路についての重要なヒントを、そのマルクスから受け取っていた。同じ中欧出身でほぼ同時代を生き、同じ二つの大戦を経験したはずのシュンペーターは、あたかも違う星の歴史について語る者のようにアーレントには感じられたかもしれない。あるいは古き良きシビック・ヒューマニズムと共和主義的理念を語る現代の語り部たちからすれば、自分たちがどれほどアカデミズムにどっぷり浸かった〝古物愛好家〟の誹りを受けようとも、共同体の核となる交換システムの不安定化を加速させるような〝自由〟に対して積極的な思想史的位置づけをおこなう気になどなれないかもしれない。

資本主義秩序は、その知識層を効果的に支配する意思も能力ももっていないことが結論される。(…)かくして一方において、公然と議論する自由は、資本主義社会の基礎を切りくずす自由をも含むものであるが、それは結局不可避である。他方において、知識階級は、批判を生命とし、肺肝を突くような批判にそのあらゆる地位がかかっているのであるから、本来その切りくずしを促進させざるをえない。しかし人物評論や時局批判は、なに一つとして神聖不可侵なもののないご時勢においては、つまるところ階級批判や制度批判になる宿命のもとにある。[*37]

確かにここでいわれる「公然と議論する自由」は、思想として語られる自由とは似ても似つかぬ、抑制を欠くだけの〝言いたい放題〟の現象を指しているだけのようにも思われる。そうした現象自体が、しかし、「伝統とのかかわり」よりはそこからの切断を鋭く意識した知的潮流と並行しているのであり、それはやがて冷戦構造崩壊前後の徹底的な反形而上学や反基礎付け主義（anti-foundationalism）の流行に収斂されてゆくことになる。かつてアリストテレスやクセノフォンにまで遡って経済思想の断片をたどったシュンペーターは、けっして思想史に無頓着であったわけでも哲学の教養が不足していたわけでもなかったが、彼にとって重要なのはやはり古典的教養からの〝切断〟のほうであり、そしてよりいっそう重要なのは、それが何によってもたらされるかであった。

＊36　ハンナ・アーレント『カール・マルクスと西欧政治思想伝統』佐藤和夫編、アーレント研究会訳、大月書店、二〇〇二年、三八－三九頁。アーレントは同書で、労働なき世界の自由を語るマルクスについても言及しており、マルクスのそうした矛盾が拙速に非難されるべきものではないことをも指摘している。

＊37　シュムペーター、前掲書、二三六頁。

たとえば経済学史において、シュンペーターは標準的な解釈どおりスミスの業績をそうした〝切断〟の嚆矢と見なしはするものの、それをスミス個人の非凡さに求めたりはしなかった。「何人もニュートンやダーウィンの筆致を誉めたり貶したりしようとは考えない。彼等は毀誉褒貶の上に超然としている。スミスに就いてはそうではない」[*38]。冒頭で見たヴォルテールの場合同様、シュンペーターはスミスが時代の大きな流れに寄り添うかたちで登場すべくして登場したにすぎず、ただし、ニュートンやダーウィンよりもその〝大きな流れ〟をはるかに率直に表現した点においてのみ彼の仕事が画期的だと考えていた。その〝大きな流れ〟とは、もちろん資本主義過程のことである。

彼は時代の言葉を語り時代がまさに必要とせるそのものを提供した。それ以上でもそれ以下でもなかった。[*39]

「資本主義文明は、合理的〝かつ反英雄的〟である」[*40]というシュンペーターの自説は、これまで見てきた「合理化」論と直結した、終生変わらぬ彼の社会学的モチーフそのものであり、彼がかくのごとく知識人を評する際にも貫かれているのであった。

資本主義は自らに対する批判や危険な要素、例外的な個人、偶発的な諸力の突出を自らのうちに囲い込んでは、利潤を生みだす相対的な〝差異〟へとそれらを変換する。かつての秘義的な知とその担い手たちもまた、資本主義過程のうちに囲い込まれ、調達され、一方では企業の幹部候補生を量産する出先機関としての大学にあって〝知財・人材〟となり、他方ではメディア資本の末席で〝知的〟色合いを添える役割を仰せつかる[*41]――。仮にシュンペーター自身の「肺肝を突くような批判」がこうしたシニカルな自嘲を含むものであるとしても、しかし、その〝末席〟から産出される知識人の諸言説は確実に「資本主義社会の基礎を切りくずす」内在的な傾向をこれからも尖鋭化させてゆくとシュンペーターは考えていた。そして、シュンペーターが没してから半世紀以上の月日が経ち、「創造的破壊」における〝創造〟の余地が次々と食い潰されてゆく傍らで〝破壊〟のダイナミズムだけが一向にその勢いを失わずにいるかのような現在、そうした知識人の諸言説にはすでにある症候があらわれて久しくはないだろうか。

＊38 ヨーゼフ・A・シュムペーター『経済学史』中山伊知郎・東畑精一訳、岩波書店、一九六三年、一〇二頁。引用にあたって、旧仮名遣いは現代の表記に変更した。
＊39 同書、一〇二頁。
＊40 シュムペーター『資本主義・社会主義・民主主義』二〇〇頁。
＊41 たとえばシュンペーターによれば、フェミニズムは「本質的に資本主義的現象」（同書、一九九頁）であった。ただし、彼の立場はつねに両義的であることに注意しなければならない。つまり、「本質的に資本主義的現象」であるということが意味するのは、それがほかならぬ当の資本主義に対する「本質的」な敵対性たり得るということでもある。

「合理化」すべきターゲットを喪失した合理化のための合理化の果てに、あるいは批判のための批判を繰り返して批判そのものが陳腐化したすえに前景化したのは、言説それ自体を破壊する傾向を帯びた言説なのであり、それはおそらく、〝生々しいもの〟、〝リアルなもの〟、〝剝き出しのもの〟への沈潜、すなわち、無媒介性のイデオロギーとでも呼び得る形態をとるだろう。

第1部　シュンペーター

第Ⅱ章　資本化と政治的威信

現実的魔法

古代エジプトやアフリカの信仰儀礼についての研究のなかで、フランスの啓蒙主義思想家、シャルル・ド・ブロス（一七〇九－一七七七）が「フェティシズム」という概念をはじめて世に送り出して以来、この概念はアカデミズムの内外を問わず様々な使われ方をしてきた。石塚正英の指摘に従えば、しかし、こと学問領域ではマルクスやフロイトの諸理論、もしくはその流れを汲む諸言説におけるこの概念の使用が、ド・ブロスの着想から著しく逸脱した潮流を形成してきた。[*1]〝本体〟――倒錯的でない性交、物象化されない人間関係、商品化されない労働等々――の実在性を基点としつつ、〝本体〟とその偽物の顛倒、もしくは前者の代理物である偶像への執着や崇拝という論理構成を採るその限りにおいて、それらはむしろ、ド・ブロスが導入したフェティシズム概念のインパクトを削ぎ落としてしまうものでさえある。というのも、ド・ブロスが見出したのは、崇拝物の背後に〝本物〟の超越神が鎮座しているなどということではなく、崇拝物が神そのものであり、しかも、それはしばしば現実的な要請に即して造られ、壊されるということであったからだ。フェティッシュは偶像ではない。それゆえ、原初的な信仰儀礼にあって、神は産み出されもしたし、殺されもしたのである。

しかし、そうした〝逸脱〟の源流であるフロイトとマルクスの最もラディカルな洞察を結合させた現代イデオロギー論は、ド・ブロス的な対象への直接崇拝の分析に奇妙な仕方で近接してきてはいないだろうか――すなわち、資本主義のイデオロギー空間には〝背後〟もなければ外部もなく（アルチュセール）、商品世界のフェティシズムは人間のリアリティそのものを構成している（ゾーン＝レーテル、ボードリヤールからジジェクにいたるまで）という、いまではよく知られた理論的構えとして。フェティシズムが〝現実にあるもの〟に対する直接崇拝、直接的かつ実際の「信」を意味するのであれば、そして、「崇拝対象というのはどこでも人間の欲望と欲求とに関係している」[*2]のであれば、この概念を敷衍して今日的なイデオロギー状況を分析する際のキーワードのひとつとするアプローチは、いまもその有効性を失ってはいないはずである。

本章の考察は、前章に続きシュンペーターの資本主義文明論をおおよその枠組みとしている。ときにケインズと並び称されもするこの経済学者の議論には、もちろんフロイトもフェティシズムも登場することはない。にもかかわらず、われわれが執着し、そのために悦び、苦しみ、期待を寄せ、そして祈りもする現実が例外なく資本主義的現実であるという彼の留保なき経済決定論は、真贋の二項対立を是非もなく平らに均してしまう現代資本主義社会のフェティシズム論といい得る性格をも色濃く滲ませているように思われる。ただし、シュンペーターを経由してさらにいくつかの迂回路を経たのち、われわれが最後にたどりつく現代の〝フェティッシュ〟は、経済社会学的アプローチによっては概念化しづらいものである。そこでは、崇拝対象と崇拝者とのあいだの屈折した関係性が見てとれるのであり、社会変動を分析するマルクスへの回帰がふたたび求められることになるだろう。

＊1　シャルル・ド・ブロス『フェティシュ諸神の崇拝』（法政大学出版局、二〇〇八年）所収の「解題」（一六九－一九六頁）より。なお、訳者の杉本隆司も紹介するように、一七六〇年出版の原著、*Du culte des dieux fétiches ou Parallèle de l'ancienne religion de l'Égypte avec la religion actuelle de Nigritie* が、インターネット上のフランス国立図書館ホームページ内、ガリカ電子図書館（http://gallica.bnf.fr）にて自由に閲覧できる。
＊2　同書、八〇頁。

シュンペーターの経済社会学的洞察に接してわれわれが印象付けられるのは、あるいは資本主義の教育的効果かもしれない。きらびやかな商品群の物神的な魅力は、消費活動への直接的な刺激であるのみならず、お目当ての品物を購入するための労働・生産意欲、計画性、合理性を大衆に植え付け、さらには当該商品を所有することによって得られる生活様式全般について数々のユーフォリア（多幸感）を彼らに抱かせることに成功した。他方、貨幣のフェティシズムは市場そのものの仮想的な内実を醸成しつつ、〝質感〟をともなう商品フェティシズムがもたらす教育的効果をはるかに凌駕する複雑な計算能力とともに、信用不安を回避するための絶妙なバランス感覚を彼らに付与してきた。貨幣システムが資本主義の先験的な条件である以上、資本主義社会における人間関係の真実は「物象化」というよりも質感を欠いた「仮想化」であると思いいたるのに、いまでは哲学者や批評家の大仰な想像力などまったく必要ないかのようである。自分らが依って立つ生活基盤について少しばかりの分別を利かせることのできる大人たちであれば、たとえば、昼夜を問わず携帯電話を肌身離さず持ち歩く思春期の子供たちが、仮想世界で友人たちとの関係性や〝信用〟を保つのに必死な様子を苦々しく思うことなどできないだろう。

かつてアップルコンピュータの携帯端末、．iPadのコマーシャルフィルムで用いられた宣伝文句は、資本主義社会の核心部を意外なほどあっさりと突いている。「．iPadは、文化的、芸術的、友好的、生産的、科学的」。ようするに、．iPadには文明のすべてが詰まっている、などと謳われていたわけだが、アップルは最後にこのひと言を付け加えるのを忘れなかった――「魔法のよう」。二〇一九年第4四半期の時点で、手元流動性にして一二八〇億ドル（約一四兆二〇〇〇億円）もの資金を運用し得るにいたったこの会社は、もちろん「これは魔法のような現実である」といっているのである。ことほどさように、資本主義システムはまさに諸学――哲学や美学さえその例外とはいえない――を教える学校そのものであり、フェティッシュは生徒をその「魔法」で魅了するたちの悪い教師であり続けてきた。まさに、「近代の機械化された工場やそこから流れ出る大量の生産物、さらに近代技術や近代組織はいうにおよばず、近代文明のいっさいの特徴と業績も、これすべて直接間接に資本主義過程の産物である」[*3]というわけだ。

　むろん、シュンペーターにおいて重要なのは、そうした「魔法のような現実」がそう長くは続かないということのほうであり、とりわけそれを無効にするものが資本主義自身であるという予測であった。根井雅弘が注意深く付言するように、シュンペーター自身は「ケインズ革命の主人公のような偉大な経済理論家として後世に評価されることを望んで」[*4]おり、したがって、ともすればセンセーショナルなその結論のみが注目されがちな『資本主義・社会主義・民主主

＊3　ヨーゼフ・A・シュムペーター『資本主義・社会主義・民主主義』一九六頁。
＊4　根井雅弘『シュンペーター』講談社学術文庫、二〇〇九年、一七〇頁。

義』を「学問的にとくに重要な貢献をしたものとは考えていなかった」[*5]かもしれない。しかし、彼の分析に鏤《ちりば》められるいくつもの洞察は、現在われわれが日常的に否応なく目撃している資本主義社会の寒々とした光景を説明するには十分に説得的であるだろう。あと少しで還暦を迎えんとする年齢になって、すべての「論理の母型」[*6](matrix of logic)であるはずの資本主義システムの内部から当の資本主義社会を包括的に分析するという、自己言及にも似た試みに及んだシュンペーターは、おそらく本人が自覚する以上にマルクスと同じ視点に立っていた。アーサー・クローカーの言葉を借りれば、シュンペーターもまた、「資本主義の過剰なまでの現状肯定性とその否定的な契機の両方の解読者」[*7]であったのだ。

「資本主義の過剰なまでの肯定性」がiPadであるとすれば、「その否定的な契機」を象徴するものは何であるのか。それはおそらく、「肯定性」のざっくばらんなわかりやすさに比べればずっと見えにくくなっており、フェティシズムの対象がもはや一個の商品ではなく、より抽象的な何かへ、正確には、抽象的であるにもかかわらず、他の何よりも〝具体的〟かつ〝無媒介〟に感じられるものへと移行したことに関連しているだろう。こんにちのフェティッシュは、商品群の相対的で微細な差異の表象から、〝絶対的差異〟の装いを施されたそれへと移行しつつあるのだ。しかもその表象は、われわれに教育的効果を与えるものでも、明日の慎ましやかな享楽を約束するものでもなく、反対に、われわれの日常生活にとっては至極不快なもの、できれば見たくはないもの、あるいは恐怖、憤怒、敵愾心さえ惹起させるものとして表現されている。資本主義のフェティシズムはつねに、魅惑的な対象かフォビアの対象かのいずれかを用意せずにはおかない。よしや後者がシステムそのものの自己崩壊を加速させる危険と隣り合わせであったとしても、である。

自動化の果て

われわれの時代の「否定的な契機」の現象形態を追う前に、まずはシュンペーターの資本主義終末論をいま一度俯瞰することから議論を始めてみよう。

シュンペーターは、まだ擡頭して間もない頃のブルジョアジーが政治的には徹底的に無力であったことを幾度も強調している。たとえ王侯や貴族、軍隊、あるいは教会が、ブルジョア階級から搾りとる税収への依存度を急速に強めていったとしても、これらの階層にとってブルジョアジーはなおも下僕でしかなかったのである。

＊5　同書、一七〇頁。
＊6　シュムペーター、前掲書、一九二頁。
＊7　アーサー・クローカー『技術への意志とニヒリズムの文化——21世紀のハイデガー、ニーチェ、マルクス』伊藤茂訳、NTT出版、二〇〇九年、二八頁。

その〔＝支配層の〕威信はきわめて大きくその態度はきわめて有効であったから、その階級的地位は、自らを生み育てた社会的、技術的条件が失われてもなお生き延び、そしてまったく異なった社会的、経済的諸条件に対しても、自らの階級機能を変形せしめることによって適応しうることを示してきた。貴族や騎士は、なんらの抵抗もうけず、しかもまったく易々として廷臣、行政官、外交官、政治家に、あるいは中世の騎士とはなんの関係もない型の士官に、変質していった。しかも――それに考えおよぶときもっとも驚くべき現象であるが――その古い威信の遺影は今日なお生き残っており、それを重んずるものはわれわれの時代の淑女ばかりではないのである。[*8]

政治的な処理能力を著しく欠き、いわば算盤をはじく以外には無能であったブルジョアジーは、「その国民を指導しえないばかりか、自分自身の階級利益を守ることさえおぼつかない」[*9]。むしろ、彼らは、政治権力がその禍々しい物理的強制力と、支配者としての尊大な態度とを両輪として設えた空間内部でしかるべき保護を受けなければ、算盤をはじくことすらできなかった。「ブルジョア階級は、なんらかの重要性をもった国ならば普通に直面せざるをえない内外の問題に当たって、これをうまく処理する資質を備えていない」[*10]。これこそが、黴臭い政治権力の「古い威信の遺影（remnant）」が「今日なお生き残って」いるところの理由であり、とりわけ、「それはブルジョアジーが主人を必要とするというに等しい」[*11]ことを、依然として意味し続けている理由でもある。商務長官や大使、あるいは政府の諮問機関に〝財界人〟と称される者が幾人登用されようと、彼らは事実上、「主人」の財務状況についてあれこれ助言するコンサルタントの域を出ることがない。とどのつまり「株式取引所は、中世の聖盤（Holy Grail）の貧弱なる代用物でしかない[*12]」のである。

資本主義のアクターであるブルジョアジーの、あるいは、資本主義システムそのものの政治的威信への寄生性は、中世から現代にいたるまでシステムが拭い去ることができない焼き印となっている。とりわけ近代以降、この焼き印が幾分複雑な仕方である重大な帰結をもたらす様子を、われわれは後に詳しく追ってゆくだろう。しかし、シュンペーターが考えていた資本主義の「否定的な契機」は、そうした隷属的な外部条件のみならず、システムの内在性にこそ深くかかわるがゆえに、よりいっそう救いのないものであった。資本主義と政治権力との関係には、的屋とやくざのような関係には還元することのできないある弁証法的力学が働いており、しかも、その弁証法は、あたかも「下僕」が「主人」を超克するかに見えるそのときに、同時

＊8　シュムペーター、前掲書、二一四－二一五頁。
＊9　同書、二一六頁。
＊10　同前。
＊11　同前。
＊12　同書、二一五頁。

に自らの命脈をも漸次的に痩せ細らせ、ついには自らを緩慢な死へと導くべく作用するものとして想定されていた。

なるほど資本主義は政治的威信とは無縁で、なおかつその担い手は「非英雄的」(unheroic)であった。しかし、政治の大枠が前近代的な政体から民族国家へと肥大化、抽象化されてゆくにつれ、資本主義は政治的支配層の経済基盤を取り込むことには着実に成功を収めていったのも事実である。それは周知のように、荘園や職人ギルドを瓦解させ、「農民に初期自由主義のあらゆる祝福――自由な保護なき農業経営と、自分自身の首をつるのに入用な個人主義という綱――を押しつけた[*13]」が、それだけでは事足りず、ついには新たな「主人」たる中央集権化された政治権力に対してさえ、いつしかその威信――繰り返せば、それだけは資本が完全に奪い去ってしまうことができない――以外のすべてを、社会の後景へと体良く退かせるにいたった。ここでいう「社会」とは、むろん、血なまぐさく暑苦しい政治的闘争の舞台を換骨奪胎してできあがった、市場という競争の舞台を意味している。この競争の舞台で、「下僕」は少なくとも表面上、「主人」ではないにせよ、「主役」の座にはまんまと躍り出たのであり、権威や「威信」ではないにせよ、相当程度の権力を手に入れることには成功したのである。権威と権力との分離が、実は資本主義によってもたらされた、もしくはそれと不可分離的に相関しているというシュンペーター的見取り図を、はたして、現代のリベラル左翼がどれだけ否認せずにいられるだろうか。

にもかかわらず、資本主義の暴走は止まらない。「首をつる」状況に追い込まれたのは農民だけではなかったのだ。マルクスが考えた革命による資本主義の終焉などというものにはまるで似つかないものの、資本主義の「否定的な契機」がどうしようもなく内在的であること、つまり危機の内在性についての洞察という一点において、シュンペーターは、自身が描いた図式がマルクスの資本分析に交叉することを認める。

> 資本主義過程は、不可避的に小生産者や小商人のよって立つ経済的基礎を攻撃する。資本主義過程は、前資本主義的階層に対してなしたところをまた——しかも同じ競争機構によって——下層の資本主義的産業に対してもなすのである。ここではもちろんマルクスに得点がある。*14

とはいえ、「ここでは（マルクスに得点がある）」という留保が示すように、残酷物語はこれでもまだとどまることを知らず、マルクスの予見をも超えて続いてゆく。「下層の資本主義的産業」が被る打撃だけならば、それに対しては、非常にしばしば搾取に満ちたものであるとはい

＊13　同書、二一七頁。
＊14　同書、二一八頁。

え、寡占的企業の下請けという逃げ道によって幾ばくかの補塡がなされる余地も残されよう。しかし資本主義過程（capitalist process）は、搾取する側であったはずのブルジョアジーさえをも徐々に蝕み始めていたのである。

もし資本主義発展――「進歩」――が停止するか、まったく自動的になるかすれば、産業ブルジョアジーの経済的基礎は、ついには（…）日常的管理の仕事に対して支払われるごとき賃銀だけに押しつめられてしまうであろう。資本主義的企業は、ほかならぬ自らの業績によって進歩を自動化せしめる傾きをもつから、それは自分自身を余計なものたらしめる傾向――自らの成功の圧迫に耐えかねて粉砕される――をもつとわれわれは結論する。完全に官庁化した巨大な産業単位は中小企業を追い出し、その所有者を「収奪」するのみならず、ついには企業者自体をも追い出し、階級としてのブルジョアジーをも収奪するにいたる。そしてその過程においてブルジョア階級は、自己の所得を失うのみならず、それこそもっとも重要なことであるが、その機能をも失うのをいかんともなしがたい。[*15]

機械的な「日常的管理の仕事」ほど、シュンペーターのいう「アントレプレナーシップ」（起業家精神）から縁遠いものはない。ブルジョアジーが「その機能をも失う」というのは、「完全に官庁化した巨大な産業単位」では、私有財産ならびに自由契約という資本主義の二大エートスさえもが霧消するからである。かくして、「いきいきした財産形態がかつて果たしたようには人の心をゆり動かし、道徳的忠誠を（…）擁護せんとして立ち上がるものは、ついに一人もいなくなる」[*16]のであり、資本主義はその生命を失うというショッキングな診断が下されることになる。

周囲を見渡せば、現在、われわれはシュンペーターの予見が悲惨な現実となって立ち現れているのをすぐにでも実感することができる。九〇年代以降の〝グローバル化〟によって、安価な労働力が海外で調達され、それと並行して情報通信や情報処理の技術が未曾有の速度で地球を覆い始めると、地域社会で従来なされていた利益の再分配は深刻な機能不全に陥るようになる。資本主義が「自らの業績によって進歩を自動化せしめる」結果、「日常的管理の仕事」にすらありつけずに綱渡りの生活を続けるかつての中産階層が、先進国と呼ばれる国々でさえ街に溢れかえるのだ。冷戦崩壊後、「国家イデオロギーへの従属状態から解放されたマルクス主義は、ようやく自由の身となった」[*17]というクローカーの指摘は正しいが、そのことは同時に、マルクスが対峙してきた当のものもまた、本格的に「自由の身」となり、その本来の姿を誰憚

＊15　同書、二一〇頁。
＊16　同書、二三一頁。引用文中の強調はシュンペーターによる。
＊17　クローカー、前掲書、二八頁。

ることなく露わにすることをも意味していた。

労働者と消費者はきわめて多くの場合一致しないという経験的にも自明な事態は、これまで以上に悲壮感をともなうものとなった。働けども消費社会への参画がまったくできない「ワーキングプア」や「プレカリアート」は世界中で増殖の一途をたどる。とりわけ、成人を迎えて間もない多くの若者たちにとって、〝プチ・ブル〟程度の境遇をからくも保ち得ている親たちの元に引き籠もるか、あるいは自分たちに惨めな境遇を強いる世を呪いつつ、砂上の楼閣のようなインターネット上の仮想空間——むろんこれ自体がグローバルな「自由主義のあらゆる祝福」のひとつである——で、彼らが〝特権階級〟と決め込む役人や巨大企業のCEOたちに罵声を浴びせる以外の選択肢を見つけだすのは、絶望的に困難となった。

まさに、資本主義過程は「自分自身を余計なものたらしめる」。もはやブルジョアジー対プロレタリアートの古典的な対立図式はなく、〝ビリオネア〟などと呼ばれもするほんのひと握りの途轍もない大金持ちを除くブルジョアジー自身が、漸次的に総プロレタリア化してゆくのである。

ボナパルティズム

ブルジョアジーがかつて身に纏った唯一の政治的衣装、すなわち「公民」(Citoyen) という名の衣装は、ポケットに収まるわずかばかりの小銭で貧相な昼食を胃袋に詰め込むビジネスマンたちの安っぽいスーツへと衣替えした。「市民」は、官僚機構のテクノクラートたちが夜を徹して作成した様々な指標のなかで、数値としてのみ、そのあまりに控えめな自己主張を許される。非人格的な法秩序による合理的支配と服従は、ウェーバーが類型化した以上に、アーレント的な意味において「社会」の各領域に普遍化され、他方、政治的活動（action）の経済的行動（behavior）への還元は、アーレントが描写した以上にウェーバー的な意味で無慈悲な脱人格化を経るにいたった。とりわけ「行動」の脱人格化は、「働いても食ってゆけない」という慢性的な貧困状態が完全な他人事である者の数を激減させ、労働者≠消費者に「財産の実体の霧消」[*18]（Evaporation of the Substance of Property）をもたらすのはいうに及ばず、それ以前に「労働がもたらす生命の祝福」[*19]を与えることとさえおぼつかなくさせる。つまり、アーレントが「すべての活動力の公分母」[*20]と定義した労働は、その「公分母」としての最低限の役割を疑問視され始めるわけだ。

「ロック以下そのすべての後継者たち」が「労働は財産、富、すべての価値の起源であり、結

＊18　シュムペーター、前掲書、二四六頁。
＊19　ハンナ・アレント『人間の条件』志水速雄訳、ちくま学芸文庫、一九九四年、一六四頁。
＊20　同書、一六六頁。

局は、人間の有する人間性そのものの起源であると考え、このように頑固に労働にしがみついていた[*21]」というアーレントの西欧近代思想史解釈が正しいとすれば、では、労働の対価によって「生命の祝福」が保証されない状況、つまりシュンペーターが皮肉を込めて「自由主義のあらゆる祝福」と呼んだものが「首をつるのに入用な綱」しか残さない状況において、労働者＝消費者はいったいどのような「祝福」を期待することができるのだろうか。この問いは、シュンペーターが予測した晩期資本主義の光景に随伴するイデオロギーにかかわっている。したがって、以降の議論では、これまでとは性質の異なる切り口が必要とされるが、マルクスによるボナパルティズム分析の一断片は、そうした「祝福」の謎を解くための有効な手掛かりをわれわれに提供してくれるだろう。

資本のグローバル化によって諸階級がきわめて少数の超富裕層とその他大多数の極貧階層とに二極分化しつつある状況下での政治的ダイナミズムに関しては、柄谷行人が明快に指摘したように、すでに一八世紀末から一九世紀半ばにかけてフランスで起こった革命の悲劇とボナパルト主演の「笑劇」の連鎖のなかにその構造の原型を見てとることができる[*22]。『フランスにおける階級闘争』の執筆からわずか一年後の一八五一年、マルクスは、諸階級が〝闘争〟どころかナポレオンの甥のもとに〝収斂〟してしまうのを目の当たりにした。このことは、しばしば指摘されるように、一方でマルクスの階級闘争論の根幹を揺るがすスキャンダラスな出来事ではあったが、他方、それは彼の資本主義社会論の首尾一貫性とそのすぐれて今日的な性格を浮き立たせるものでもあった。

資本主義経済とそれを支える政治形態としての代議制は、ともに代理／表象のシステムであり、それゆえ、両者はいずれも、代理／表象するものとされるものとの乖離によってもたらされる危機の契機をつねに内包している。この乖離が埋め合わせ不可能なまでに増大したときに起こる恐慌とボナパルティズムには、明らかな構造的相関性があることをマルクスはすでに暗示していた。すなわち、「『ブリュメール一八日』の出来事は、代表制を通さねば何事も生じないような状況のもとで生じた」[*23]のであり、そのことは、皆が突如として守銭奴に変貌する恐慌／危機が貨幣システムを前提するという事実——ほとんど同語反復的ですらある事実——と位相を同じくしているのだ。

しかしながら、ボナパルトという主《あるじ》の擡頭は、彼が生身の人間であるがゆえに、貨幣という抽象物が他の諸商品の主《あるじ》として日常的に君臨するよりもずっと唐突感があり、また唐突かつ不測の出来事としてわれわれの目に映る。そして、この唐突感はボナパルティズムの構造的な性

＊21 同書、一六一頁。
＊22 柄谷行人「表象と反復」、カール・マルクス『ルイ・ボナパルトのブリュメール一八日』植村邦彦訳、太田出版、一九九六年。
＊23 同書、二四二頁。

質を見えにくくさせる。

実際、恐慌／危機は極端な現象ではあっても景気循環の一周期として理解することが可能であるだろう。雨風が極端に強くなり、しかもそうした暴風雨が幾日も続いて誰も外出できなくなることは異常ではあるものの、十分にあり得る〝自然現象〟である。同様に、恐慌／危機は、もちろん歓迎できるものではないにせよ、資本主義経済のダイナミズムにとっては避けがたい〝暴風雨〟であり、「調整」機能のひとつでさえあって、マルクス自身もそのように理解していた。これとは対照的に、ボナパルトの登場には明白な政治的作為が加えられているうえ、何より、彼のような生身の独裁者は、とりわけ第二次大戦後の十分に民主化・産業化された国や地域では〝周期的〟に登場するなどとはいえないようにも思われるかもしれない。そうした疑義に応えるためには、かつてボナパルトがルンペンプロレタリアートを手懐けるとき、何に訴えたかを思い起こしておく必要がある。端的に、それは〝ソーセージ〟と〝カリスマ〟という、一見すると互いに縁遠い二つであった。そこで重要なのは、それらが、自分らの利益を代表してくれる者やモノをまったく持たない——市民社会における〝正常な〟利害関係などというものを端から持ち合わせていない——彼ら最下層民に提供され得る最後の「祝福」にして最も強力なフェティッシュであったということである。われわれは、ここでようやく、冒頭で提起された資本主義とフェティシズムという問題系に立ち返ることができるわけだ。

クーデターの二年前に設立されたボナパルトの〝親衛隊〟、「一二月一〇日会」の初発の構成員たちが、どのような面々であったかは確認しておく価値がある。

慈善団体を設立するという口実のもとに、パリのルンペン・プロレタリアートが秘密の小隊に編成され、各小隊はボナパルト派の密偵に指揮され、全体の一番上にボナパルト派の一将軍がいた。怪しげな生業の、貴族の出だが怪しげな素性の頭のおかしい放蕩者《ルエ》のほかに、また落ちぶれて冒険生活をしているブルジョワジーの子弟のほかに、無宿者、兵隊くずれ、前科者、島脱け、詐欺師、ペテン師、ラッツァローニ〔階級脱落分子〕、すり、手品師、博徒、女衒、女郎屋の亭主、荷かつぎ人夫、日雇い人夫、手回しオルガン弾き、屑屋、刃物研ぎ師、鋳掛け屋、乞食、要するに、フランス人たちがラ・ボエームと呼ぶ、あらゆる、不明確な、混乱した、右往左往する群衆、こうした自分と似通った分子で、ボナパルトは、一二月一〇日会の元をつくった。[*24]

「ルンペン・プロレタリアートの頭目[*25]」たるボナパルトは、父、ルイ・ボナパルトの悲運から幼少の頃よりヨーロッパ大陸の各地を転々とし、大統領選に勝利する二年前までは、終身刑で牢獄に入れられていた〝祖国〟フランスを捨て、イギリスに亡命していた。そうした惨憺たる経歴は、しかし、「ブルジョアどもから金をゆすりとれるかすかな隙をさぐりだす最高度に発達した触角[*26]」を彼に与えもしたのだとマルクスはいう。ボナパルトは、姦策を弄して普通選挙制を潰したことの口止め料として議会のブルジョアジーから金を巻き上げ、さらにその金を彼ら「ラ・ボエーム」のために散財した。ただし、それは最も効果的な散財の仕方を彼が確信したうえでのことだ。鹿島茂が詳細に描き出したように、[*27]『ブリュメール一八日』からその戯化されたイメージのみを植え付けられた読者が考えるよりもはるかに、ボナパルトは権謀術数に長けた人物であり、彼を最大限に貶めようとする傍らでマルクスもそのことには気づいていた。

一二月一〇日会は、ボナパルトが、公式の軍隊を首尾よく一二月一〇日会に変えることができるまで、彼の私設軍隊であり続けることになる。ボナパルトは、国民議会が休会に入った直後に、このための最初の試みを、しかもせしめたばかりの金を使って、行った。運命論者として彼は、ある種の高度な力が存在し、人は、特に兵士は、それに逆らうことはできない、という信念に生きている。彼がこれらの力のうちにまず教えるのは、葉巻とシャンパン、冷製の鶏肉とにんにく入りソーセージである。そういうわけで彼は、エリゼ宮の部屋でまず、士官、下士官を、葉巻とシャンパン、冷製の鶏肉とにんにく入りソーセージでもてなすのである。彼はこの同じ作戦を、一〇月三日には、サン＝モールの閲兵式の際に軍大衆に対して、一〇月一〇日には、サトリの観兵式の際に、さらに大規模に行うのだ。[*28]

ボナパルトが「無条件に頼れる階級だとわかるのは、あらゆる階級のこの屑、ごみ、かすだけ」[*29]であったとしても、彼らとともに、生死の境界線上で法の埒外に置かれる軍隊の兵卒、下士官たちまでをもひとまとめにして手懐けることができるのもまた、ボナパルトただひとりであった。異邦での流浪、投獄、そして亡命——。当時のフランスで一定以上の政治的立場を担い得る者のうち、四〇の坂を越す歳になるまでこのような生ばかりを生き続けてきたボナパル

＊24　カール・マルクス『ルイ・ボナパルトのブリュメール一八日』横張誠・木前利秋・今村仁訳、『マルクス・コレクションⅢ』筑摩書房、二〇〇五年、六九頁。初版では、マルクスはこの「ラ・ボエーム」のリストに「文士」を付け加えている。マルクス自身もこのリストに入っているわけだ。柄谷の鋭い指摘をふたたび参照してみよう。「本書はラブレー的な筆致において、むしろこれら〝くず、ごみ〟的存在へのスカトロジカルな愛好を表出しているといってもよい。このような文体のみがボナパルトをめぐる倒錯的事態に拮抗しうるだろう。考えてみれば、パリに募ったマルクスのような亡命革命家たちも、ボナパルトらと同様に、一種の〝ラ・ボエーム〟であった」（柄谷、前掲書、二五四頁）。

＊25　同書、六九頁。

＊26　同書、六七頁。

＊27　鹿島茂『怪帝ナポレオン三世——第二帝政全史』講談社学術文庫、二〇一〇年。

＊28　マルクス、前掲書、七一－七二頁。

＊29　同書、六九頁。

トただその人のみが、「あらゆる階級のこの屑、ごみ、かす」を味方につける術を体得していたのである。

マルクスのボナパルティズム分析を明らかに踏まえた中沢新一の議論は、一方で網野善彦の「中世王権論」を引き継ぐものではあるが、他方、それは階層化された近代社会との接点を持たぬ人々の政治的動員をめぐる考察としても重視されるべきものだ。フランスの神話学者、ジョルジュ・デュメジルが古代インドの王権に見出した「ミトラ」と「ヴァルナ」の神話的二重構造を援用しつつ、中沢はかつて後醍醐天皇が何によって天皇親政の復活を試みたかを魅力的に論じている。[*30] 古代インドにおいては、法による支配、法治する王であるミトラとしての側面と、千変万化してひとつどころにとどまらない自然を操る魔術王、ヴァルナとしての側面が、ともに相俟って王権を支えていた。中沢によれば、執権を中心とした合議制にもとづく官僚機構である鎌倉幕府は、いわばミトラの王権であるが、後醍醐天皇は「魔術王」然とした仕方でこれに対抗した。もちろん天皇が使ったのは〝魔術〟などではなく、独自の技術を駆使して理解不能な生活スタイルを採る、網野のいう「異形」の人々であった。

後醍醐天皇が自分のまわりに組織しようとした人々のリストは、とても興味深いものである。供御人、禅律僧、密教僧、悪党的武士、山の民、川の民、海の民（ここには海賊的な武士もふくまれる）、職人たち。彼らは流動し、変化する「なめらかな空間」を生活の場とする人々だ。自然（ピュシス）の力と無媒介的にわたりあい、あらかじめコントロールされたのではない力と直接的にわたりあいながら、生きている人々だ。ガンダルヴァの民。「魔術王」がそれを捕獲し、組織する。その力は一丸となって、「法治する王権」がつくりだす生における「仕切られた空間」にいどみかかった。[*31]

合戦時の儀礼も武家の道徳や忠誠心も通用しない彼らは、「本質においてボヘミアン的である」[*32]。「悪党的武士」の代表格たる楠木正成を筆頭に、「彼らは、律令国家の法治主義的な土地制度によって開拓され、計算され、分配され、税を徴収されるような空間とは、まったく異質な空間を生活の場所としていた」[*33]ために、幕府からすれば、目障りで得体のしれないごろつきと映る者たち、御成敗式目などの法令で厳しく取り締まるべき者たちであった。資源の採掘や生産と（再）配分をあまねく「仕切る」世俗的権力機構と、権力機構による媒介抜きに自然や自らの

＊30　中沢新一『悪党的思考』平凡社、一九八八年。中沢は巻末で、「この本が書かれたとき、もっとも大きな影響を受けた書物のリスト――感謝をこめて」という言葉とともに、マルクスの『ブリュメール一八日』をそれら「書物」の一冊に挙げている。
＊31　同書、四二頁。
＊32　同書、四四頁。
＊33　同前。

生産物と直接かかわり、あるいはそうした直接性に魅かれるボエーム/ボヘミアンとの対立——。一個の人間が纏うにはあまりに過剰な政治的威信が、後者を囲い込むことで前者を転覆させるという点において、ボナパルトの「一二月一〇日会」と後醍醐天皇の「悪党」とのあいだには大きな形式的類似性があるといえるだろう。

過剰で無意味/無根拠な権威もしくは「威信」による権力機構の転覆という、気味の悪い政治的光景が共通項になっているとはいえ、われわれがここで見るべきは、しかし、類似性ではなく差異のほうである。中世末期に極東の島国で起きた革命的政治変動と一九世紀フランスで起きたクーデターとのあいだには、資本主義という決定的な媒介項が横たわっているのであり、それは形式というよりは、むしろ質的な違いにかかわっていたのである。

無媒介性のイデオロギー

幕府の権力と影響力が行きわたる空間から外れて生活していた鎌倉末期のボヘミアンたちは、商人によく似ていたと中沢はいう。権力空間の外部、もしくはそのわずかな死角を縦横無尽に往き来するボヘミアンは、同様に、整然と区画された権力空間に縛られることなく遠隔地との交易をおこない、そこから創出される価値によって生計を立てる商人と多くの点で重なり合うというわけだ。宮本常一や網野らの刺激的な考察以来、広く知られているように、少なくとも中世にいたるまでは、たとえば漁業に従事する「海民」は魚介類や塩を商うべく広範な海域を往き来する〝コスモポリタン〟な廻船人として、天皇家にさえ仕える特別な存在であり、とりわけ彼らの漁村は、「村」というよりは「都市」の様相を呈していたのである。[*34]「ところが」と中沢は続ける、

よく考えてみると、商品の「価値」と、ボヘミアン的なるものがこの世界につくりだす「価値」とのあいだにある、重要なちがいのことを見逃すことはできないのである。ボヘミアン的なるものは、商人のように、共同体と共同体のあいだの差異のなかから「価値」をつくりだすのではない。それは力と表象との差異のなかから、ほとんど生まれたばかり

＊34　たとえば、網野善彦『日本論の視座――列島の社会と国家』（小学館ライブラリー、二〇一〇年）には次のような印象的な一節がある。「〝大門〟で仕切られた菅浦（滋賀県伊香郡西浅井町）、安曇川の中州に人の集住する船木北浜（同県高島郡安曇川町）、クリークで囲まれた堅田（同県大津市）など、琵琶湖湖辺の集落はたしかに漁村ともいいうるが、これを都市と見ても無理ではない。事実、堅田、船木北浜は、江戸時代、行政的には『村』となっているが、その実質は明らかに都市であった。また現在はまったく小漁村にすぎない若狭の神子浦（福井県三方郡三方町）は、中世、御賀尾浦といわれて廻船の基地であり、その浦刀禰、大音氏の一六世紀ごろの財産目録には、富裕な都市の商人の財産に匹敵する衣類・焼物・漆器等の什器が列挙されているのである」（六三頁）。

の状態の「価値」を生み出すのだ。彼らもまた、境界領域を生きながら、そのことによって「価値」を生成する。しかし、それは共同体とそれにたいする徹底的な外部とがつくりだす、奇妙にねじれた境界だ。そこに「原＝価値」が生成する。これがなければ、商人たちも、共同体間の横断をつうじて、自分たちにとって重要な「価値」をつくりだすことはできない。ボヘミアン的なるもののおこなう冒険をつうじて生みだされた、聖なる「価値」がなければ、商品の「価値」もなりたたない。商人はボヘミアン的冒険のシミュレーションをおこなうのだ。商人はボヘミアン的「群衆」のなかから生まれ、しかるのちに、自分を形成してくれた「群衆」の存在を見えないものにしてしまうだろう。[*35]

商人が「ボヘミアン的群衆」を自らの「聖なる」母胎としたことに関する歴史的事実関係は措くとしても、社会的コードに絡めとられたままでは生きてゆけない商人や「異形」の人々の行動パターンが、それ自体としてラディカルな「脱コード化」にほかならない革命的政治変動と共振したのは不思議なことではないだろう。その革命的変動の当初の主役である武士とは、楠木正成のみならず、鎌倉から北へ遠く離れた上野国の荒地で育ち、生年さえはっきりしない無位無官の新田義貞や、あるいは〝婆沙羅大名〟こと佐々木導誉など、「仕切られた空間」から少なからずはみ出た人物たちであったのは周知のとおりである。南北朝の動乱は「悪党と商人と職人と古代的宗教者の世界のもてる潜在的な力を総動員してたたかわれた[*36]」のであり、しかも、その「力」は〝婆沙羅〟な武装集団と共振することで、一度は権力空間を壊したのだ。しかし、その後、徐々に前景化してきた新たな「空間」は、当の商人たちが創出する「価値」で装飾された別種の、ただし、それまでとは比較にならぬ速度と範囲と柔軟性を備えた均質化の波でもって覆われることになる。それはもちろん、資本主義がもたらす均質化であった。「キャピタリズムは、この意味では、ボヘミアン的なるもののなかから、その本質を否定するようなかたちで発生してくるのだ[*37]」。

その均質化に後戻りはない。中沢のいう「原＝価値」は、不可逆的な均質化という状況設定から遡及的に物語化され、導き出された仮説のなかの一概念であるが、ここでの力点は、「原＝価値」なるものの存在論的地位にではなく、むしろ、そうした資本化＝均質化以後、それを代理／表象すると称するものは例外なく〝まがいもの〟、「シミュレーション」にすぎないということのほうに置かれている。まさにこの意味において、ボナパルトは後醍醐天皇ではあり得ず、「一二月一〇日会」は「異形」の集団ではあり得なかったのである。両者の違いは、端的にいって、身体的〝直接性〟に訴え、即座に欲求を満たすソーセージ／葉巻と、有為転変を繰

＊35　中沢、前掲書、七二－七三頁。
＊36　同書、七一頁。
＊37　同書、七二頁。

り返して一瞬たりとも顔をそむけることを許してはくれない「自然（ピュシス）」との違い、無媒介性／直接性の〝まがいもの〟と〝それ自体〟との違いとして想定されているわけだ。

無媒介性／直接性の〝まがいもの〟が有する訴求力は、にもかかわらず、「屑、ごみ、かす」にとっては強力無比であったといわねばならない。ボナパルトは、彼らの欲望を一気に満たす唯一のモノが、土地でもなければ金でもなく、ましてや社会における相対的な地位や名声の高低などではなおさらないことを知悉していた。「屑、ごみ、かす」がどれほど華美な化粧や借り着を纏ったところで、それらはかえって自らの「怪しげな」出自を際立たせることにしかならないことは、当人たちも十分に心得ていただろう。「あらゆる階級」から放逐されていた彼らは、それぞれの階級が生産し、消費するものをめぐる利害関係などとは無関係であって、いわんや階級闘争など端からどうでもよかった。ソーセージと葉巻は、将来の予測にもとづく保身や社会的信用などとは無縁の彼らに、〝いま、ここ〟の刹那的満足や充足感、身体的〝直接性〟に訴えるモノとして与えられたが、それ以上に、何より、そうした直接性（immediacy）に訴える以外の諸価値を否定するモノとして差し出されたのだ。

言い換えれば、それらは否定を媒介にした無媒介性（immediacy）／直接性をアイロニカルに肯定してみせるためのモノであった。むろん、クーデターは「屑、ごみ、かす」や軍隊のごろつきの助力のみによって成功するものではなく、そのためにボナパルトが周到な準備をおこなっていたことはいうまでもなかろう。ルンペンプロレタリアートを嫌悪していたマルクスの観察自体が「現実のルイ＝ナポレオンを、マルクス自身がこうあってほしいと願う矮小なイメージに還元[*38]」したものである可能性も否定できない。さらには、ボナパルトがサン＝シモンの影響を強く受け、当時の為政者としては他に類例を見ぬほど貧困の根絶を大真面目に考えていたのだとすれば、ごろつきを従えて遮二無二権力を追求するだけの小者であったと彼を断罪するのは、拙速な批判であるかもしれない。

しかし、ここでのわれわれの主要な関心事は、ボナパルトその人の人物評ではなく、代理／表象システムの機能不全がいかなるイデオロギー的帰結をもたらすかについて一定の仮説を立てることである。「屑、ごみ、かす」に対して〝直接性〟に訴えることは、極端な政治的変動期において権力を一点に集中させる際に採られる、範例的な動員の手法なのではないだろうか。相対的で微細な差異の体系、価値の制度には臆することなく唾する者たちが、屈折した笑みを浮かべながらも唯々諾々として受け入れる最後の「祝福」、〝無媒介なるもの〟へのフェティシズムがそこでは機能していたのではないか。アイロニカルな熱狂に満ちた儀式の祭壇上、皇帝とソーセージは、現実にそこにある崇拝物、実質的《ヴァーチュアル》なフェティッシュとして同列に置かれ、かくして、「屑、ごみ、かす」はこう叫ぶことになったのだ――「ナポレオン万歳！　ソーセージ万歳！[*39]」

＊38　鹿島、前掲書、一一五－一一六頁。

すでに見たように、シュンペーターは、かつて資本主義に隷属的位置を強いると同時に、その庇護者でもあった政治的「威信」（prestige）という外部が、何の〝価値〟もない「遺影」へと限りなく痩せ細ってしまう状況を考えていた。他方、シュンペーターは、それが「遺影」としてではあれ残るのであり、完全に死に絶えてしまうとも思っていなかった。一九世紀を境に、確かに資本主義は大規模な帝国主義戦争を勃発させるほど巨大な政治的影響力を明け透けに行使してきたが、にもかかわらず、「非英雄的」である資本主義がそれ自体として戦争の大義になったためしはなく、今後もそのことに変わりはないだろう。石油や希少金属をめぐる諍いであることが誰の目にも明らかなときでさえ、各国政府は「領土」や「国益」といった様々な政治的レトリックとともに、本来的には邪魔者扱いされていることを知ってか知らずか、「国民の生命と財産」を守るためと称して甲斐甲斐しく資本主義を守り抜こうとする。しかもそのレトリックは、背後にある経済的利害関係に関する情報や知識が十分に行き届いてなお、人々を魅きつけずにはおかない。それはまさに、ｉＰａｄの「魔法」が薄れゆくときにこそ、有無をいわさぬ自明性、リアリティ、あるいは所与感覚に〝直接〟訴えることで「魔法のよう」な効力を発揮し始めるのだ。

とどのつまり、人に命を差し出させるような動員へと道を開くには、依然として外部的「威信」が招集されなければならない。その「威信」を謳うシュプレヒコールは、「サムライブルー万歳！　コンビニ弁当万歳！」でも「大統領万歳！　ビッグマック万歳！」でも何でもよいが、その担い手はといえば、それはおそらく、決まって、神妙な面持ちのプチ・ボナパルトたちに先導された「屑、ごみ、かす」であるだろう。このばかげた出来レース、アイロニーに満ちた最後の「祝福」に抗って批判的な見地に立とうとするとき、少なくともそのささやかな第一歩として、われわれはいまや、政治的「威信」、「遺影／残滓」（remnant）、あるいは資本主義の完全な「外部」というシュンペーターの語用法に対してさえ、若干の補正をしなければならない。というのも、それがどのように名指され、それにどのような歴史化の処理が施されようと、シュンペーターが「遺影／残滓」と呼んだものは、はるか以前からあった何かの「遺影／残滓」などでは決してないからである。すべてのナショナリズムが過去を物語化した再帰的ナショナリズムであるのと同様に、それは資本主義、あるいは資本主義的代理／表象システムの内在的な危機を梃子にして、必要なその都度、再帰的／反照的な仕方で創出されるフェティッシュにほかならない。

　その〝まがいもの〟は、資本主義（の危機）によって産み落とされるという意味において内在的だが、資本主義が結局そこに寄生するという意味で、資本主義にとって外在的なものでもある。シュンペーターの予測どおりに資本主義が衰弱死するかどうかは誰にもわからないが、いずれにせよ、資本主義は自らの諸前提を今後も自らの手で壊し続けてゆくには違いない。そ

＊39　マルクス、前掲書、七二頁。

の傍らで、こうした〝まがいもの〟が占める場所——ひょっとしたらジャック・ラカンであればそれを〝extimité（親密な外部性＝extériorité intime）[*40]〟などと呼んでいたかもしれない——を暴力的に設け続けては、そこに群がる「屑、ごみ、かす」をもってして自身の堡塁たらしめなければならないだろう。

＊40　ここでの引用は、Jacques Lacan, *Le Séminaire, Livre VII: L'éthique de la psychanalyse (1959-1960)*, Seuil, 1986, p. 167から。あるいは、資本主義にとって政治的威信は、〝排除された内部（intérieur exclu）〟（*ibid.* p. 122）であるのかもしれない。もっとも、「主体と倫理」という枠組みのなかでなされたこれらの概念化が政治的現象にも適用可能であるか否かを判断するには、「われわれの時代、社会を抽象的に語るなどまったく考えられないことである」（*ibid.* p. 126）というラカンの言葉について、いま一度慎重に検討してみる必要がありそうだ。

第Ⅲ章　新結合をめぐって

イノベーションとその主体に関するいくつかの考察

虫が知らせるイノベーション

事物を動態的にとらえると称する探究が、一見したところ〝動態〟とは正反対の地点、すなわち動きや変化を観察し測定するための諸基準、なかんずく時間軸が消失する地点を見出してしまうことがある。それはさながら、思想史研究者や社会科学者が、出来事の連鎖に関する時系列的な整理を投げ出して、時間に関するあらゆる観念から隔絶された「いまここ」の記述のみに全神経を集中させてしまうかのようだ。そこでは、時間が瞬間の一点へと分割可能であるか否か、時間が可逆か不可逆か等々をめぐる古今東西の哲学的、物理学的、あるいは数学的時間論の代わりに、むしろ、なぜわれわれは時間に寄り添って日々を過ごすほかないと自らに常識を言い聞かせるのかが集中的に問われる。ヨーゼフ・シュンペーターの「アントレプレナー／起業家」、ならびにアントレプレナーが先導する「イノベーション（ならびに新結合）」の両概念は、そうした種類の問いによって導かれた経済学的応答だったのではないだろうか。本章は、これら二つの概念によって想定される事態が、経済の暦とその日常的な時間の流れの直中に出来する暴力的な断絶であることに焦点を当てる。ただし、その際、それらが通常は同時に論じられることのない他分野、たとえば社会思想史や政治理論などで語られるいくつかの着想とも共振し合い、あるいは反発し合うものであることが示されるだろう。もとよりシュンペーターのアプローチは、一部の社会学や文明史、あるいは哲学をも含みこんだ領域横断的な性格が強い。したがって、現在の分業化された学問体系内部からのものとは別の視点でシュンペーターのテクストを追うことは、彼の意図をより明瞭に輪郭づけるための一助にもなることが期待され得る。

まずはシュンペーターの「イノベーション」が何を意味するものであるかを確認しておこう。イノベーションは、いまではもっぱら単なる技術革新を意味することが多く、それどころか経済を活性化させるきっかけ一般を漠然と期待させる呪文のように用いられさえしている。いささか安っぽい揚げ足取りをしてみよう。たとえば二〇〇六年の第一次安倍内閣発足以来、内閣府は「二〇年後の日本と世界を展望」しつつ次のような指針を提示してきた。曰く、第一に人口減少と高齢化、第二に情報化社会のさらなる進展とそれにともなうグローバルな競争、最後に資源・環境・テロ問題が、この先二〇年で不可避的に激化・尖鋭化することに鑑み、それら「三つの大きな潮流」に対処するために「日本のような人口減少国家の唯一の持続可能な経済発展の手段は生産性の向上であり、その源泉が、世界を視野に入れたイノベーションである」というものだ。[*1] シュンペーターによれば、しかし、イノベーションの担い手であるアントレプレナーは二〇年後の国民経済のことなど考えてはおらず、イノベーションが生産性の向上に直截的に寄与することに期待などしていない。実際、国民経済における生産性の向上は、イノベーションが後景に退いた後ではじめて図られるものであるだろう。

一九四七年一一月に『ジャーナル・オブ・エコノミック・ヒストリー』(*Journal of Economic History*) 誌に掲載された「経済史における創造的反応」(The Creative Response in Economic History) と題された論文で、シュンペーターはアントレプレナーの手腕が通常の経済活動とは相容れないものであり、したがって前者は後者によって放逐される傾向にあると述べている。

＊1　内閣府『イノベーション25』「イノベーション25のポイント」電子版。https://www.cao.go.jp/innovation/action/conference/minutes/minute_cabinet/kakugi1-3.pdf

アントレプレナー的／起業家的な遂行能力は、一方で、行動がとられるべきその時点では実証され得ないあらたな機会を認識する能力を、他方で、変化に対して社会環境が示してくる抵抗を打ち砕くに十分な意志を含むものである。しかし、実証可能なものの範囲は広まってゆき、一瞬のひらめきや虫の知らせ（hunches）を受けての行動は次第に〝算定すること〟（figuring out）に依拠した行動によって取って代わられる。しかもこんにちの環境では、これまでほどにはあらたな方法や新製品に対する抵抗は示されないかもしれない。こんな具合である以上、個人的な直感や手腕はかつてそうであったほどには本質的な要素ではなく、専門家たちのチームワークに自らの場所を譲ることが求められ得る。言い換えれば、改良はよりいっそう自動的なものとなることが求められ得るのである。[*2]

シュンペーターの読者にとってこれは何ら新しい指摘ではないが、資本主義の決して明るくない未来を描く『資本主義・社会主義・民主主義』で示された主要なテーマが、五年後に発表されたこの論考でも繰り返されていることは確認しておいてよいだろう。それは端的に、資本主義はつまるところ、完全に経済外的ではないとしても、〝純経済（学）的〟と言い切れるかどうかがきわめて疑わしい「本質的な要素」を自らの中心に据えてきたのであって、それがテクノクラートや「専門家たちのチームワーク」によって制度化され、システムの一部として馴致され、ついには消滅するとき、理論上、資本主義自体にも終末が訪れるというものだ。もっとも、その終末は革命の動乱によって外部からもたらされるものではないゆえに、われわれはその到来に無自覚であり続けるのかもしれない。そしてずっと後代になって歴史家の語りのなかでのみ、はじめて然るべき文脈が与えられることになるのかもしれない。いずれにせよ、資本主義が資本主義であるかぎり、それはアントレプレナーの「一瞬のひらめきや虫の知らせ」の類いがもたらすイノベーションによって支えられてきた、とシュンペーターはいうのである。

通常、経済活動とその成果物に関する種々の個別的な進展具合や「改良」（improvement）の度合いは「実証可能」（provable）である。決算期の業績、株主に還元される配当、設備投資に必要な資金繰り等々に関しては、相当程度に機械的な計算をすることができる。つまり、それらは日々粛々と進行する経済の暦に則っての予測が可能である。これに対して「アントレプレナー的／起業家的な遂行能力」は、そうした経済活動の常態の埒外に位置づけられている。「改良」や効率化とイノベーションはまったくの別物なのだ。それらは「あたかも、一つの道路の建設と一つの道路の歩行とが異なるのと同様に、異なったことがらである」[*3]。また、アン

＊2　J. A. Schumpeter, "The Creative Response in Economic History," *Essays of J. A. Schumpeter (1951)*, Kessinger Publishing. LLC, 2010, p. 224（J・A・シュンペーター「経済史における創造的反応」『企業家とは何か』清成忠男編訳、東洋経済新報社、一九九八年、九九－一〇〇頁）。以下、シュンペーターを参照する場合、特例的に邦訳書の書誌を記載する。訳出は他と同様、既訳を参照しつつ布施がおこなった。

トレプレナーは発明家（inventor）でもない。それはちょうど、iPS細胞の作製に成功した山中伸弥がアントレプレナーではないのと同じである。むろん前者が後者になることはあり得るが、それは原理的にいって偶然にすぎない。

アントレプレナーと「発明家」を区別することがとりわけ重要である。多くの発明家がアントレプレナーになっており、こうした事例の頻度が相対的に高いことは疑いなく興味深い研究対象ではあるが、しかしながら、それら二つの機能には何の必然的な繋がりもない。発明家は着想を生み、アントレプレナーは「事を為す」（"get things done"）が、それはしかし、科学的に新しい何ものかを具体化する必要がある、ということではない。さらに、ある着想や科学的原理がそれ自体として経済的実践のために重要であるなどということはまったくない。おそらく古代ギリシャの科学は蒸気機関を組み立てるために必要なすべての着想を生み出していたが、そのことはギリシャ人やローマ人が蒸気機関を作り上げることの助けにはならなかったのだ。*4

アントレプレナーは他のあらゆる経済的主体から区別される。それがどれほどドラスティックなものであったとしても、ある会社の経営責任者が熟慮を重ねたすえに導き出す経営戦略や経営方針の転換がそれ自体としてシュンペーターの考えるアントレプレナーシップの要件を満たすわけではなく、それがどれほど画期的な発明であったとしても、特定の発明や発明品が自動的にイノベーションをもたらすわけでもない。そうではなく、本質的なのは「事を為す」ことであるとシュンペーターはいう。そしてその為されるべき「事」(things)こそが、「新結合」(new combination)と呼ばれているものである。

「イノベーション」や「創造的破壊」が企業経営者や商業雑誌等によって多用される〝バズワード〟の如きものとなっている一方で、イノベーションの内実である新結合がもっぱら経済学の専門用語のままとどまっているのは象徴的である。おそらく、一瞥しただけではその意味内容が想像しづらいことが一因なのではあろうが、むしろ、シュンペーターの主だったテクストを読み込めば読み込むほど、経済活動に携わる様々な階級や立場の人々がこの語を旗印として掲げることに二の足を踏む理由が明らかになるだろう。ようするに、新結合がもたらす事態はとても穏当なものとは言い難いのであって、それはホワイトカラーにもブルーカラーにも、高給取りのサラリーマンにも日雇い労働者にも、あるいはブルジョアジーにもプロレタリアートにも、少なくとも無条件に明るいイメージを提供するものではない。

＊3　J・A・シュムペーター『経済発展の理論（上）』塩野谷祐一・中山伊知郎・東畑精一訳、岩波文庫、二〇一二年、二二四頁。
＊4　Schumpeter, "The Creative Response in Economic History," p. 219.

新結合

初期の大著『経済発展の理論』(一九一一年)冒頭部で、シュンペーターは「生産」と「創造」とを分けるが、この峻別は、新結合概念が内閣府の成長戦略スローガンには不向きであることをすでに暗示していた。「技術的生産も経済的生産も結局においては合理性によって支配されるものであり、両者の区別はこの合理性の性質の相違によるのである。(…)技術的に見ても経済的に見ても、生産は自然法則的意味においてなにかを〝創造〟するものではない。いずれの場合においても、それはすでに存在する事物および過程——あるいは〝諸力〟——に作用し、これを支配するにすぎない」[*5]。生産に〝創造性〟が含まれることを否定したこの謂いから勤労意欲を掻き立てられる労働者や経営者はいないだろう。〝創造〟なき生産に従事する労働者は、何十年、場合によっては何百年もの歳月を経て形成された慣行的な循環に則って行動しているにすぎず、それは「あたかも自動機械のようにたとえられて、すべてが比較的円滑に経過するのである」[*6]。われわれの生産活動は総じて、〝冷たい(資本主義)社会〟におけるそのような「自動機械」の一部であり、むしろ、経済的にも文化的にも——そしておそらく政治的にも——、凡人たるわれわれはそうした循環に埋没することをもって自らを安んじる。「要するに、われわれがしばしば考えたり、感じたり、おこなったりすることは、個人や集団や事物において自動的なものとなり、われわれの意識的生活の負担を軽減するのである」。[*7] シュンペーターが非常にしばしば、個々の人間の生／生活全般から文明一般に関してあからさまな経済決定論者であるのはこれまで見てきたとおりである。

定常的循環に埋没する経済的主体というこの無味乾燥とした見方は、たとえば、同時代のヨーロッパを生き、同様にユダヤ系知識人として越境しつつ資本主義社会を眺めていたヴァルター・ベンヤミンのようなマルクス主義者のそれとは、単なる〝畑違い〟以上の好対照をなしている。よく知られるように、ベンヤミンは、置き去りにされた時代遅れのがらくたや廃墟の上に設えられる商品世界に、いまだ叶わぬ生活への夢の痕跡を嗅ぎ取ろうとしていた。ブルジョアジーにとってもプロレタリアートにとっても、商品世界は来るべきユートピア社会への願望の切れ端が埋もれている在処であり、そこから革命のパトスを救いあげるべき夢の形式であり、そして経済の主体が政治の主体へと変貌する揺籃であった。思弁的かつ哲学的な外観をとってはいるものの、こうした発想はブルジョア市民社会を革命への一里塚として捉える正統派的なマルクス主義からそれほど逸脱したものではない。ファシズムという狂った代替案を採

＊5　シュムペーター『経済発展の理論（上）』四九頁。
＊6　同書、二一二頁。
＊7　同書、五〇頁。

用することなく、思うほど簡単に死滅しそうにない資本主義世界に反旗を翻す経済と政治の担い手がいかにして可能かを、ベンヤミンは当の資本主義空間内部で考えていたわけだ。他方、シュンペーターの「経済社会学」では、ブルジョアジーもプロレタリアートも、ともに革命的な大変動の担い手となる見込みがない。なぜなら、そのような変動は彼らにとって「意識的生活の負担」にしかならないからである。消費者も含め、日常の経済活動に参加する者はみな、均衡的な経済システムの生産、流通、消費過程において整然と、かつ「合理的」に――それはもちろん利益最大化のための合理性だ――作動する「自動機械」の一部品、歯車であることを、ときにアイロニーと諦念を交えて自嘲しながらではあっても、実践的には受け入れている。したがって、いずれも「機械」そのものを破壊し創出する者としては考えられていない。

しかし、ひとつだけ例外的に創造的な「生産」がある。言い換えれば、ひとつだけ例外的に、既存の「事物および過程――あるいは〝諸力〟――に」対する作用でも支配でもない、創造的な経済的介入があり得る。

生産をするということは、われわれの利用しうるいろいろな物や力を結合することである。生産物および生産方法の変更とは、これらの物や力の結合に到達することができる限りにおいて、たしかに変化または場所によっては成長が存在するであろう。しかし、これは均衡的考察方法の力の及ばない新現象でもなければ、またわれわれの意味する発展でもない。

以上の場合とは違って、新結合が非連続的にのみ現れることができ、また事実そのように現れる限り、発展に特有な現象が成立するのである。[*8]

「物」の開発や改良は、それに直接携わった開発者とそれを購入する特定の消費者にとっては〝創造的〟なものとして感じられるかもしれない——おそらくそうだろう——が、クラフツマンシップや目利きの妙は資本主義の「発展」とはやはり関係がない。そうではなく、既存のものであれあらたに発明、開発されたものであれ、それら個別的な諸要素が、予期せぬ過程を経て予期せぬ仕方でもって「非連続的に」結合／組み合わされるときにのみ、その結合が資本主義社会の様相を一変させるのであり、それこそが創造の名に値する「経済発展」の契機としてのイノベーションなのだとシュンペーターは主張する。

新結合を規定する要件について確認しておこう。新結合は、⑴新しい財貨の生産、⑵新しい生産方法の導入、⑶新しい販路の開拓、⑷原料あるいは半製品の新しい供給源の獲得、⑸新しい組織の実現と独占の打破、として定義され、これらは当然ながら旧い結合形態の駆逐を意味するものではあるが、当座は新結合と旧結合とが併存する。[*9] アントレプレナーは、したがって、

＊8　同書、一八二頁。
＊9　同書、一〇一‐一〇二頁。

旧いシステムを一挙に破壊してゼロからまったく新しいものを創るというよりは、既存の諸要素を旧「支配」から奪いつつそれらを組み換える者である。とはいえ、組み換えられた諸要素からなる実際の光景は、それ以前のものとは別物となる。シュンペーターがしばしば用いる初歩的な鉄道の例でいえば、鉄道建設は、「鉄」という製品を従来までの武器や深鍋といった小物の生産のためにではなく、大規模な事業に必要不可欠な素材へと、したがって、大量の資金供給をともなう〝カネのなる木〟へと変貌させた。それは鉄を別の生産物に変えたのだ。同時に、それは、コークス高炉の発明に代表される製鉄技術の進化を劇的に促し、あらたな炭鉱を次々に出現させたが、とりわけ、当該事業に必要な石炭・コークスや鉄に限定されない、他の様々な製品の生産過程、流通経路、そしてそれらの市場規模それ自体に未曾有の大激変をもたらした。その威力は、足で歩いて目で見る市場《いちば》に代わって、市場《しじょう》という抽象物を人口に膾炙させるほどに絶大であった。

すでに鉄道の恩恵をしゃぶりつくした揚げ句、その何歩も先をゆく移動手段や情報伝達手段を手にしているわれわれからすれば、鉄道建設による産業の活性化やその代償について語るのは何ら難しいことではない。「例えば、イリノイ・セントラル（米国イリノイ州で一八五六年に完成した当時世界最長の鉄道）は、それが建設され、その周囲に新しい町がつくられ、土地が耕されているかぎり大変結構な事業であるように思われますが、同時に、西部の農業に対しては〝死刑宣告〟をも意味していたということを理解することは容易でしょう」[*10]。むろん、地面に敷かれた二つ組の途方もなく長大な鉄棒が何であるかさえ十分に実感できぬ時代の人々にとって、それがもたらす生活の変化は、変化というにはあまりに「非連続的」で唐突な出来事であったろう。アントレプレナーは、そのような出来事を出来させ、ある者には突然の富を、ある者には突然の不幸をもたらすのである。

政治的新結合

ある「物」がそれまでは縁もゆかりもなかった他の「物」と組み合わされ、従来のものとはまったく異なるプロセスを経てまったく別の価値を担った生産物として市場に流通する結果、その生産物と生産過程が市場そのものの構造を一変させる——。こうした新結合の図式が資本主義経済の「発展の理論」であるかぎりにおいて、それが同様に資本主義社会を前提に据えたある種の社会変動論や社会システム論に似てくるのは不思議なことではない。新結合の唐突さとそれがもたらす破壊的威力をさらに可視化する試みとして、ここでは経済の領域から離れ、エルネスト・シュンペーターの着想を敷衍して政治的大変動についての理論化を見てみよう。

＊10　J・A・シュンペーター「われわれの時代の経済的解釈——ロウエル講義」『資本主義は生きのびるか——経済社会学論集』八木紀一郎編訳、名古屋大学出版会、二〇〇三年、二四七頁。

ラクラウのヘゲモニー論は疑いなく、そうした〝政治的新結合理論〟の代表例のひとつである。戦後数十年を経た八〇年代、経済の世界化が加速し資本主義が〝第二の自然〟の如き所与として感得されるのと並行して、後景に退いた〝自然〟を問題化する代わりに「政治の自律」が叫ばれるようになった。先進工業諸国を中心に表面化した様々な権利要求——人種的、民族的、性的マイノリティーの人権擁護運動から環境保護、果ては動物愛護運動にいたるまで——は、経済的審級からの政治の自立と「自律」を主張するための格好の題材であった。それらが小さな波紋をそこかしこで形成すると、やがて各々の個別的運動体が「結合」して大きな波となり、ついには革命的な大変動へと変貌することを期待する知的潮流が現れてくる。しばしば「ラディカル・デモクラシー」の唱道者に位置づけられるラクラウの理論はこの流れをうまく汲みあげるものであった。

たとえば同性愛者の社会的諸権利を支持する運動は、保守的な異性愛中心主義の牙城を切り崩してセクシュアリティの自由の幅を広げる〝進歩的〟運動ではあろうが、それが特定少数者集団のためだけの権利要求運動にとどまるのであれば、中長期的には、周縁的なサークル活動の域を出ないことにもなるだろう。ちょうど、個別的にはどれほど優れた商品開発やら発明やらが為されたとしても、それのみによっては定常的な経済活動の景色は微動だにしないのと同じである。彼ら、彼女らの権利要求が社会においてなにがしかの実質をともなう変化をもたらすことが期待されるのであるとすれば、それは、その個別的要求がまったく異なる文脈で展開される他の諸要求、たとえば養子縁組成立要件の緩和、職場における時短、年金制度の改正、移民法の改正といった、既存、新規を含めた数多の諸要求と「結合」するときのみである。個別的「反」が相互に結びつくことで一大ブロックを形成してはじめて、「旧結合」を換骨奪胎する大きな敵対性が姿を現す。階級を単純な二分法で分類し、政治的主体を単純化することは、もはや現実に即した戦略とはいえない。様々な種類の不遇の直中にあって様々な種類の敵対性をまとう運動の担い手たちを「新結合」しつつ、巨大な敵対性を導入すること――。ラクラウの掲げる「ラディカル・デモクラシー」の構想は、おおよそこのようなものである。[*11]

一九五五年のクーデターで独裁者ファン・ペロンが一時的に政権を追われて以来、政治的混沌が延々と続いていた母国アルゼンチンを離れ、ラクラウが英国に渡ったのは一九六九年であった。ちょうどその頃、ニコス・プーランツァスとラルフ・ミリバンド――のちに労働党党首となるエドワード・ミリバンドの父親である――の論争が典型的に示すように、英国の新左翼は大陸の、とりわけフランス現代思想の受容をめぐって大きく揺らいでいた。それはかたちを変えた実在論対唯名論ともいえるし、観念論対経験論、あるいは共同体主義対個人主義のマ

＊11　ラクラウのヘゲモニー論の詳細に関しては、次章「回帰する人民」を、また、彼の理論が〝異種混交〟を前提とする資本主義の論理ならびにその実際のダイナミズムに対してきわめて親和性が高いことに関しては、拙著『希望の政治学』第七章を参照されたい。

ルクス主義版ともいえる様相を呈していた。たとえばルイ・アルチュセールのイデオロギー論をぎこちない仕方で消化しようとする〝実在論者〟に対し、現実的な政治への批判を欠いたまま抽象的な〝国家のイデオロギー装置〟を分析することは、議会における個々の利害関心のせめぎ合いや利益誘導といった諸事実を見逃す口実を自ら用意するに等しい、などと〝唯名論者〟が反駁する。[*12] プーランツァス＝ミリバンド以前にも、その伏線としてすでに同種の論争がペリー・アンダーソンとエドワード・トムスンとのあいだでおこなわれていた。階級意識が資本主義的生産関係により〝客観的〟かつ〝構造的〟に条件づけられていることを前者が説けば、後者はその成り立ちの自発性や自律性を、イングランド労働者階級の歴史を非常に丹念に追うことで強調する、といった具合であった。[*13] どちらの立場が優勢であったかは措くとして、一九六二年にアンダーソンが『ニュー・レフト・レヴュー』(*New Left Review*) 誌の編集主幹をスチュアート・ホールから引き継いだときの知的状況は、おおむね、大陸の〝トレンド〟に取り残されているという危機意識と、そうした危機意識に対する心理的、方法論的異議申し立てによって彩られていた。ラクラウの仕事は亡命先のそうした状況を背景としてなされたのである。

ラクラウのアプローチは、大陸のマルクス主義の諸潮流はもちろん、言語学から精神分析にいたるまで、七〇年代以降の英国新左翼たちの知的関心を惹きつけるには十分な〝現代思想〟の導入が図られており、素朴な客観的実在ではない構造——純粋に主観的とも客観的ともいえない、彼が「言説」と呼ぶものの総体——の分析を企図するものではあったが、他方、先述のとおり、前景化してきた諸々のアクティヴィズムの動向に対する目配りがその理論に実質を与えるものでもあった。一九八五年に出版されたシャンタル・ムフとの共著、『ヘゲモニーと社会主義戦略』[*14]（*Hegemony and Socialist Strategy*）が多くの反論を呼び込みつつも英米圏のリベラル左派を中心に相当程度の影響力を持つにいたったのは、ハンガリー動乱、文化大革命、六八年の「革命」、そしてアフガニスタン侵攻などの出来事群を経たすえにますます瘦せ細ってゆく革命のイメージを、それがふたたび別様の仕方で肥えさせてくれるように思われたからであったろう。それは言い換えれば、脱出不能な資本主義空間にあって、なおも〝批判的知識人〟が来るべき社会に関する何ものかを人々に約束、提示し得ることを示唆するとともに、彼らに、資本主義

＊12　プーランツァスの "The Problem of the Capitalist States" (Nicos Poulantzas, *New Left Review*, no. 58, 1969)、ならびにそれへの反論として書かれたミリバンドの "Reply to Nicos Poulantzas" (Ralph Miliband, *New Left Review*, no. 59, 1970) を参照されたい。

＊13　論争としてはいくぶん陳腐な、主客二元論を基調とするこのニワトリ＝卵論争であることを棚上げにして読めば——むしろ棚上げにしたほうがよいだろう——、トムスンの『イングランド労働者階級の形成』（E. P. Thompson, *The Making of The English Working Class*, Vintage Books。邦訳は市橋秀夫・芳賀健一訳、青弓社、二〇〇三年）が、歴史家にとっても理論家にとっても非常に示唆に富んだ古典であることは付言しておかねばならない。

＊14　邦訳『民主主義の革命——ヘゲモニーとポスト・マルクス主義』西永亮・千葉眞一訳、ちくま学芸文庫、二〇一二年。

空間の内部にあるということが悲観や諦念ではなく、自らの知的営為のための積極的な条件でさえあり得るという楽観を、無邪気な自己肯定のきっかけとともに与えてくれたのであった。

このことは、しかしラクラウ自身がそうした〝来るべき社会〟なるものを倫理的に基礎づけようとしていたなどということを意味するものではない。彼のヘゲモニー論は、アルゼンチンのペロンが、本来折り合うはずのない大土地所有者層（農産物輸出で蓄財する親ヨーロッパ的〝自由主義者〟）、教会、小作農、都市のルンペンプロレタリアート、軍人、急進左翼等々といった面々を、然したる〝イデオロギー的〟基盤も一貫した共通の利害関係もないままひとまとめに「結合」してしまう不条理を記述・分析したものが下地となっている。[*15] そしてラクラウが早くから引き出していた重要な命題のひとつは、ペロン主義に見られるポピュリズム的「新結合」と民主主義的なそれとが形式的には同型の構造をなしているというものだ。確かにラクラウは「民主主義」を標榜しつつ、「結合」――彼はそれを「分節化」（articulation）と呼ぶ――が非ポピュリズム的な方向で進んでゆく可能性を模索してはいたが、そうした最小限の倫理的な判断基準が理論化の段階で前面に押し出されているわけではない。「新結合」によって形成される政治的ブロックがより解放的なものである保証はなく、それがスターリン主義的官僚主義を志向するものになるか、左翼ポピュリズムに陥るか、あるいは結果的に以前よりもはるかに国家主義的な色合いを濃くする保守的な勢力を形成するかは、あらかじめ予期できるものではないことを、ラクラウは繰り返し主張している。『ヘゲモニーと社会主義戦略』の原書副題が〝towards a radical democratic politics”となっているのは、したがって彼が「ラディカル・デモクラシー」なるものの何たるかを定義づけ、あるいはそれが何であるべきかを規定しようとしたというよりは、党なしでの革命的な政治的大変動が可能であるとすれば、それがいかなるものであり得るか——正確には、どのようにして人民の「新結合」を通じた大規模な動員が現実に起こり得るか——について〝ラディカルに〟考察することを企図したものであると解釈したほうがよい。[*16]

行為者という動因

こうして、〝良くも悪くも〟という言葉がシュンペーターとラクラウによる「（新）結合」理

＊15　Ernesto Laclau, *Politics and Ideology in Marxist Theory*, Verso, 1977（邦訳『資本主義・ファシズム・ポピュリズム——マルクス主義理論における政治とイデオロギー』横越英一監訳、柘植書房、一九八五年）、とりわけ最終章 “Towards a Theory of Populism” を参照。ちなみにラクラウは「倫理」という言葉が政治的な文脈で使われることをまったく好まなかった。レヴィナスやデリダの研究で知られるエセックス大学時代の彼の〝シンパ〟、サイモン・クリッチリーに対し、ラクラウはしばしば「私は君がレヴィナスの口から言わせている〝倫理〟という言葉の政治的含意について、悪いイメージしか浮かばない」と語っていた。

＊16　この点に関しても次章「回帰する人民」を参照されたい。

論の共通した論調となる。実際には、シュンペーターは社会主義の分配的正義よりも資本主義の自由競争を好み、ラクラウはポピュリズムよりも民主主義という標語を終生保持するものであったのだとしても、自らが内心求めているものをもたらし得る政治的、経済的条件を分析する段になると、両者の記述からは規範性も、〝来るべきもの〟への期待さえも随分と鳴りを潜める。「ポピュリズムは絶対的外部から出現したり、そうした外部の周辺で事前の状況が瓦解してしまったりするものでは決してなく、あらたな核（a new core）をめぐって為される、脱臼・配置換えされ（dislocate）、断片化された諸要求を分節化することによって進展するのだ[*17]」というとき、ラクラウはその双子の片割れである「民主主義」にも同様のことがあてはまることを、したがって、どちらの方向にも事態が「進展」し得ることを示唆している。

とはいえ、ポピュリズムと民主主義を見分けるための識別子は、むろん明白なものだ。前者の場合、大変動の「あらたな核」を一身に体現すると見なされる特定の人物――ラクラウにとって、それはボナパルトでありペロンであり、あるいはド・ゴールである――がいるのに対し、後者にはそれがいない。様々なアクティヴィストやら古い桎梏から外れて浮遊状態になった既存の諸勢力やらが合従連衡を繰り返したすえ、やがて一定の均衡状態へといたった際、その均衡状態が〝民主的〟であるかどうかは、その中心部を占拠する特定の人物や集団が存在するかどうかによって見分けがつく。民主主義の「核」に位置する権力であれば、それは結果的につねに不完全なものであって、均衡状態を完全に支配、占拠する状態にはいたらないというわけだ。この〝結果的に〟というのが、自身の理論と、たとえばクロード・ルフォールのそれとを分かつものであるとラクラウは主張する。

ルフォールにとって、民主主義諸体制（democracies）における権力の場所は空虚である。私にとって、問題は異なった仕方で立てられる。それは覇権的論理が作動することで産出される空虚の問題なのだ。私にとって、空虚とはアイデンティティの型（type）であって、ひとつの構造的な場所のことではない。*18

どちらに転ぶかがわからぬ覇権的諸力は、それらが個別的な要求や闘争をおこなっているかぎりにおいて、自己充足的な「アイデンティティ」をいまだ獲得し得ず、自分たちが本来そうあるべきところのものになっていないと称する「諸力」として登場するが——「同性愛者の社会的平等と諸権利はいまだ実現されていない」「派遣労働者は本来保障されるべき生活水準を満たせていない」等々——、さらにそれらが各々の要求の個別性を希釈させて均衡状態へといた

＊17　Ernesto Laclau, *On Populist Reason*, Verso, 2005, p. 177.（邦訳『ポピュリズムの理性』澤里岳史・河村一郎訳、明石書店、二〇一八年）

＊18　*Ibid.*, p. 166. ラクラウによる強調。

るというのであれば、〝大同団結〟によって得られた一大ブロックの政治的「アイデンティティ」――ようするに同一化可能な政治的大義名分のことだ――は、いっそう希釈化され、曖昧なものとなるだろう。民主主義的な均衡状態において露呈される権力中心部の不完全さ、あるいは自己充足性の欠如や「空虚」は、覇権的諸力が相互に織りなす場当たり的なダイナミズムにより「産出される」のであって、あらかじめ想定されているものではない。それはちょうど、いかなる新結合もやがては好不況の波を繰り返す定常的な経済循環へと収束することをアントレプレナーがあらかじめ想定して「事を為す」わけではないのと同じだ。「ルフォールによる民主主義分析の難点は、それがもっぱらリベラルデモクラシーの体制（*regime*）に凝縮されてしまうということだ」[*19]と喝破することで、ラクラウは、あたかも彼のポピュリズム＝民主主義理論が、「体制」をしてそのようなものたらしめる動因をめぐって展開される「動態的」理論だといっているかのようである。

経済の革命的大変動の担い手としてのアントレプレナー概念に関しては、ラクラウの政治理論では、多様な諸要求を掲げて闘争する「人民」であるとか、既存の社会的文脈から外れた「覇権的諸力」であるとか、あるいはそれらが「分節化」して形成される巨大な「覇権的ブロック」などという概念がこれに相当するだろう。しかし、この行為主体という論点をめぐっては、シュンペーターとラクラウとではある重要な視差があることに注意しなければならない。ラクラウが「覇権的諸力」とそのせめぎ合いの帰結について語るとき、彼はそれを俯瞰している。他方、シュンペーターはラクラウが俯瞰した状況をアントレプレナーの目線で語る。ラクラウが行為主体を何やら力学的な作用が重なり合う結節点——"nodal point"という言葉は彼のヘゲモニー論では術語となっている——であるかのように捉えるのに対して、シュンペーターはそれを通常の経済合理性では割り切れない意味不明の動機を抱きつつ決断し行動する特異な行為者として描く。端的にいって、現実の生活空間を一変させてしまう新結合を誰がおこなうのかに関しては、両者のテクストに接した者であれば、政治的なるものについて語るラクラウよりも経済を語るシュンペーターのほうに、より大きな現実味と現場の切迫感を感じるだろう。つまり、むしろ経済学者シュンペーターに、自動機械の一部として抽象化されることのない、穏やかならざる過剰、政治と経済との危険な交差点の匂いを嗅ぎとるかもしれないのである。「政治における近代主権理論は、資本主義の理論と経営実践に符合する[*20]」ことを鋭く指摘したうえで、アントニオ・ネグリとマイケル・ハートがシュンペーターのアントレプレナーに、「主権者」と同等のステータスを与えさえするのは、彼らのちょっとした思いつきによる当て

＊19　*Ibid.*, p. 166. ラクラウによる強調。
＊20　Michael Hardt, Antonio Negri, *Multitude — War and Democracy in the Age of Empire*, The Penguin Press, 2004, p. 331.（邦訳『マルチチュード——〈帝国〉時代の戦争と民主主義』上下、市田良彦・水嶋一憲監修、NHKブックス、二〇〇五年）

推量ではない。

経済的秩序を在らしめるためだけでなく、イノベーションを在らしめるためにも、生産の分野には責任をとり決断を下すたったひとりの集権的（unitary）な人物がいなければならない。資本家は、たとえば工場で、生産的協働作業のために労働者を集める者である。資本家は近代のリュクルゴス〔古代スパルタの立法者〕であり、工場という私的領域における主権者ではあるが、つねに定常状態を超え出て革新を遂行する（innovate）よう迫られてもいる。シュンペーターはイノベーションによる経済の循環を最もよく描き出し、それを政治的指令の形態と結びつけた経済学者である。主権の例外主義には、産業的な統治形態としての経済的イノベーションが対応する。非常に多くの労働者たちが生産という物質的実践に携わっているが、資本家はイノベーションに責任を有する一者である。ちょうど、たったひとりのみが政治において決断を下すことができるといわれているように、経済においてはその一者のみが革新をおこなうことができるのだ。[*21]

なるほどシュンペーターに関するネグリ＝ハートの記述は、いくつかの非常に重要な点において度し難く雑であり、控えめにいっても甚だ不正確である。シュンペーターの定義では「資本家」は労働者を集めたりはしない。彼らは資本家とアントレプレナーを混同しているようだが、後に触れるように、シュンペーターは両者の機能を明確に分離している。この点を見誤れば、マルクスに対する彼のアンビヴァレントな立ち位置を理解することはできず、とりわけアントレプレナーの不在——ネグリ＝ハートのいう「指揮者のいないオーケストラ」[*22]——という彼の晩年の予測が示唆する経済的、イデオロギー的諸帰結を見えにくくさせてしまうだろう。[*23]また、彼らの「生産」概念も誤解を生むものだ。すでに見たように、シュンペーターは「生産」と工場での〝モノづくり〟とを同一視したりしない。シュンペーターによれば、資本主義における「生産」ははじめから結合体としてネットワーク化されているのであって、アントレプレナーはまさにそのネットワークをこそ唐突にまったく別様なものへと組み換えてしまうのだ。これらの誤読——ほぼ単純な無理解に等しい誤読——は、いずれも基本的な諸概念に関するものであり、とても些末なものとはいえない。ネグリ＝ハートは、しかし、資本主義経済の「成長」が結局のところこれまで何を要因としてきたかについて、つまりシュンペーター理論の大前提については見誤らなかった。彼らはアントレプレナーを、非人称化された「諸力」の中心的作用や「(アイデンティティの) 型」へと還元してしまう代わりに、決断して行動する、紛う

＊21　*Ibid.*, p. 331.
＊22　*Ibid.*, p. 338.
＊23　前章「資本化と政治的威信」を参照されたい。

ことなき政治経済の行為者、「主権者」としてあらためて措定している。これは、アントレプレナーが資本や財貨の「所有者」ではなく、何よりも新結合の指揮を執る者であることを強調するシュンペーターの意図を正確に汲んだものである。行為主体の位置づけは彼のあらゆる着想にあっては文字どおり最重要なのだ。「経済成長は自律的な現象ではない。すなわち、それは純粋に経済的な術語のみでもって満足のゆく分析ができる現象ではない」[*24]。そうではなく、「成長」は、したがって新結合は、〝良くも悪くも〟人為によるものであり、普段は自動機械として「自律的」に循環する経済システムにとっては他律的な「現象」なのだとシュンペーターはいうのである。

ただし、アントレプレナーの人為性を前面に押し出すことで、シュンペーターが経済学にあらためて血の通った〝人間の顔〟を装わせようとしたなどと考えるのは完全に的を外している。というのも、「主権」は通常、〝人間〟にはあまりに重すぎるからである。たとえば、ジャン・ボダンが主権を政治的概念としてはじめて構想したのは、悲惨のうえに悲惨を重ねた宗教戦争が続く一六世紀のフランスであった。相争う諸宗派を抑えるべく、ボダンは主権概念に〝神〟(の名を騙る教会)をも超える力能を付与したが、にもかかわらずそれは形而下、つまり世俗における力能であった。主権概念が途方もなく現実離れしているのは、その法外な超越性のゆえのみならず、誰もそのような力能を俗世で「所有」することなどできないからでもある。ユグノーとカトリックとの融和を図り奔走した揚げ句に暗殺されたアンリ四世は、決して主権の

「所有者」ではなかった。

至高の力能を所有している、もしくは所有することができるなどと思っている者はいない。ましてや手にすることができない力能を行使できるなどと、常人は考えない。そうであるがゆえに、それは国家に仮託されもする。しかし狂人であれば話は変わってくるかもしれない。もしもアントレプレナーの行為が主権の行使にさえ伍するというのが本当であるならば、彼の所業は常人には正気の沙汰ではないものと映るだろう。

「屑、ごみ、かす」

シュンペーターはアントレプレナーを「社会的故郷喪失者」[*25]と見なすが、そこで想定されているのは、故郷を遠く離れてなお活力に満ちた商いをする、古き時代の商人たちのロマンチックな姿とはまったく異なるものだ。彼が描く「社会的故郷喪失者」は、ブルジョア市民社会の直中に棲まいながら、そこにおいて適切な位置を占めることがない者である。アントレプレ

*24 J. A. Schumpeter, "Theoretical Problems of Economic Growth," *Essays of J. A. Schumpeter (1951)*, Kessinger Publishing. LLC, 2010, p. 229.

*25 シュムペーター『経済発展の理論（上）』二三二頁。

ナーはいかなる階級にも属しておらず、またそのようなものとして特定の階級を形成することもない。むろんアントレプレナーが裕福な資産家であったり、不労所得者であったり、あるいは事後の経済的成功によって資本家として振る舞ったりすることも大いにあり得るが、それでも彼がその身の丈に合わぬ野心や衝動とともにイノベーションを志しかつ「事を為す」そのとき、彼の行動は通常の意味での労働とさえ見なされず[*26]、当人は何事かを為しているつもりでも傍目には世間をいたずらに引っ掻き回す多動症のように映る。

> 彼は成功の暁に加入する社会的地位にあるものの間で、笑いものにされることすらある。彼は典型的に——本質的に、しかしさらに（必ずしも一致する必要はないが）歴史的にも——成り上がり者であり、なんらの伝統ももたず、したがって事務室の外にあっては、およそ指導者に似合わぬことだが、しばしば頼りなく、体制順応的であり、神経質である。彼は経済界の革命児であり——また意図せざる社会的、政治的革命の先駆者であり——、彼自身の仲間も彼より一歩先んじているときには彼を拒否するために、しばしば既成の実業家の間では歓迎されないのである。[*27]

「笑いもの」であるうちはまだよい。彼は労働者からも資本家からも顰蹙を買う鼻つまみ者であるが、それは彼が経済の暦の進行を唐突に麻痺させる、いわば経済的テロリストのような行為主体だからである。彼は「ただ精神が健全であるというだけでとくになんの才能にも恵まれていない人によってさえ、著しい支障もなしにおこなわれている」[*28]日常の繰り返しを、強引に不穏な空白によって置き換えてしまう。しかも、そうした定常的な暦の停止とともに彼が遂行する新結合は、慣習的な役回りを担ってきた生産物に別の機能や意味内容を担わせてしまう。それによって思わぬ好景気に沸く労働者や資本家もいるにはいるが、景気が一定の循環を取り戻すまでのしばらくのあいだは、それ以上に、真綿で首を絞められるように徐々に兵糧を断たれて路頭に迷う人々が量産されることにもなる。一見したところ猛々しいゼネストのような政治的、社会的衝撃を持たないようではあるが、その実、「意図せざる社会的、政治的革命の先駆者」として、彼は市民社会にそれと同様の諸帰結を確実にもたらすことになる。『経済発展の理論』でもその後の諸論考でも、アントレプレナーが社会のあらゆる領域と階級から深刻な抵抗に遭うことについて、シュンペーターが非常に多くの紙面を割いているのは、この経済的

＊26　シュンペーター「企業家」『企業家とは何か』三八頁。「社会的故郷喪失者」というのは、「企業家」の機能に関して類型化された四つのうちの最後のひとつに含まれる表現であるが、シュンペーターはそれを「その思想が純粋に企業家の機能に限定されている」「創業者（Gründer, promoter）」（同頁）の特質として考えていた。
＊27　シュムペーター『経済発展の理論（上）』二三一－二三三頁。
＊28　同書、二二一頁。

行為者の特異性を際立たせるためである。

そしてシュンペーターがマルクスに批判的なのも、まさにここに理由があった。シュンペーターはマルクスに深く影響され、晩年にいたるまで彼に対して畏敬の念を抱き続けてきたが、その一方で、マルクスの階級闘争論がこの特異な経済的主体を射程に収めず、それゆえ資本主義のダイナミズムを可能にするある歪な核を、単純な対立図式に還元していると彼はいう。

> たとえばマルクスの場合、企業家《（ママ）》はまったく登場せず〝資本家〟しかいないため、資本主義経済プロセスに特有の理論的対置であり現実的対立である最も重要な組み合わせの一つ、すなわち企業家《（ママ）》対資本家という対置ないし対立が完全に欠落している。[*29]

闘争はブルジョアジーとプロレタリアートのあいだだけで生じるのではない。この「社会的故郷喪失者」は他のあらゆる経済の担い手と敵対関係にあるのだ。おそらく違った意図からではあるだろうが、ネグリ＝ハートがアントレプレナーを「主権者」になぞらえるのは、この意味でも的を射ているといえるだろう。というのも、「主権」は深刻な敵対性によって惹起される危機の契機にしか登場し得ない擬制だからである。そしてこの擬制の大仰さは、かくして登場した「主権者」が現実の例外状況でとる行動の非常識さによってその具体的な表現を得るだろう。シュンペーターによれば、しかし、既存の階級に属さず、階級内の個別的利害関係の一切を放擲した「一者」のそうした敵対的行動が、逆説的に経済を「発展」させる。ただそれのみが、近現代の資本主義を「発展」という名の自転車操業でもって延命させてきたと彼は主張するのである。

シュンペーターが描くアントレプレナー像には、どことなくいかがわしさが漂っているが、それは、新結合がいかなる動機とともに遂行されるのかが判然としないことに起因している。「典型的な企業者《（ママ）》というものは、自分の引き受ける努力が十分な〝享楽剰余〟を約束するかどうかを問うものではない。彼は自分の行動の快楽的成果を気にかけない」[*30]。アントレプレナーは、商品世界によって喚起される欲望に支配されず、守銭奴でもないというのである。だとすれば、彼はなぜそれを為そうとするのか。「彼は他になすべきことを知らないために、たえまなく創造する」[*31]――これがシュンペーターの答えらしきものである。その他にも、支配的地位や行為そのものに対する欲求であるとか、あるいは勝利への意志であるとかの〝候補〟がいくつか挙げられてはいるが、どれも雑駁なものばかりであり、シュンペーター自身も殊更そのこ

＊29　シュンペーター「今日の国民経済における企業家」『企業家とは何か』六一頁。アントレプレナーを本論では「起業家」と訳しているが、引用部に関しては、訳者の日本語をそのまま用いることにした。

＊30　シュムペーター『経済発展の理論（上）』二四四頁。

＊31　同前。

とを明確に規定しようとは考えていないようだ。実際、その種の心理学的分析を個々の事例に即しておこなったところで、彼の理論にはほとんど資するところがなかっただろう。われわれの関心を惹くのは、むしろ、階級論的類型化を斥けるアントレプレナーの諸特徴――非階級的であるのみならず、諸階級とは潜在的・顕在的に敵対関係にあること、行動の動機が経済合理性によって説明のつくものではないこと――が、マルクスが否定的な扱いしかしなかったある特異な階級外の存在と形式的に類似するという点である。

　それはルンペンプロレタリアートのことだ。『フランスにおける階級闘争』では、彼らは二月革命後の臨時政府がプロレタリアートに対抗するべくかき集めた〝ごろつき〟として、また『ルイ・ボナパルトのブリュメール一八日』ではボナパルトの親衛隊を形成した浮浪者、女衒、日雇い労働者などの「屑、ごみ、かす」として描写された反革命集団である。より正確には、彼らは革命でも反革命でもどちらでもよく、あたかも「他になすべきことを知らない」かのように、もっぱら即物的な報酬――それは金である必要は必ずしもなく、上質なワインであったり葉巻であったりソーセージであったりする――さえ与えられれば体制の転覆にさえやすやすと加担する。ルンペンプロレタリアートは、ちょうどポピュリズムを形成する諸勢力が民主主義のそれであるように、ブルジョア市民社会の双子の片割れであり、それゆえ同様に資本主義システムを自らの生存条件としている。彼らは確かに鉄道を建設したり多くの失業者を出したりしないが、旧体制を破壊して新しい体制を〝創造する〟動因にはなり得る。まさにそうした集団の領袖として彼らを率いたボナパルトやペロンが、自身、何者でもないことによって何者をも包摂し媒介することができたという事実は、彼らポピュリストたちが政治の舞台における〝アントレプレナー〟であったと仮定する理由にはなり得るだろう。たとえば、ラクラウが生涯こだわり続けたペロンは、現在でもペロニスタ（熱烈なペロン主義者）を生み続け、夫人のエビータはアルゼンチンの変わらぬヒロイン、〝アルゼンチンの母〟である。

マルクスとの繋がりでいまひとつの重要な点は、銀行などの金融業者の位置づけだ。シュンペーターの定義によれば、「資本家」とは銀行家であり、その機能はアントレプレナーへの資金供給である。しかし、新結合に用立てられる金額は銀行の信用貸出で賄いきれるものではないため、銀行はあらたに、つまり無から、貨幣を〝創造〟しなければならない。信用創造というのは、何よりもまず、新結合のための貨幣調達に端を発するのであり、それが後に通常の経済循環にも下降、浸透してゆく、とシュンペーターはいう。というのも、そもそも「信用の獲得は慣行軌道における正常な経済循環にとって必然的な要素ではなく、それがなければ循環の本質的現象が理解できないというような要素ではない」[32]からである。「正常な経済循環」を攪乱するいかがわしい者たちへの資金供給のために、いわば帳簿上の錬金術が駆使され、元来不必要な量の貨幣が仮想的に市場に流通してゆく。よく知られるように、そうした銀行の機能や

＊32　同書、一九〇頁。

役回りに向けられたマルクスの批判には、最大級の憎悪と敵意が込められていた。

ブルジョア社会の最も上層では、ブルジョア的な法律とさえ終始衝突するような不健康で放埒な欲望の充足が公然とおこなわれた。享楽が放蕩と化し、金銭と汚物と血とがながれあつまるところ――賭博から生じた富は、その性質上、おのずからこうしたところにその満足を求めるのである。金融貴族は、その営利方式においても、その享楽においても、ブルジョア社会の上層部に再生したルンペンプロレタリアート以外の何ものでもない。[*33]

銀行を含む金融業者とごろつきマフィアの類いとが親和的であるのは一九世紀フランスだけの話ではなく、そのことはこんにちのわれわれにとってもほぼ経験則になっている。もしもマルクスが糾弾するように、アントレプレナーにとって不可欠な〝ビジネスパートナー〟である金融業者＝資本家がルンペンプロレタリアートと同類であるとしたら、これら三者のあいだには相当程度の近似性もしくは〝家族的類似性〟があることを意味するだろう。社会科学の対象としての資本主義経済システムは、かくもあやしげな〝経済外的〟な核を自らの「発展」の駆動力としてきたということになる。

シュンペーターは、繰り返せば、主権者の如きアントレプレナーの突出した行動や指導者性は、寡占化した巨大企業群における官僚主義的な〝マネジメント〟に取って代わられ、それとともに駆動力を失った資本主義も漸次的に終末に向かうであろうと主張していた。資本主義はその破壊者が結果的にもたらす「発展」によって生きながらえ、その忠実な歯車によって終わりを告げるのだと。[*34] 確かにわれわれは、アントレプレナーの不在ゆえに生じたとおぼしき、いくつかの予兆のようなものを身近に経験してきた。日本では不在の相棒の代わりにマフィアと結託した金融業者が土地担保価値を異常なレベルに吊り上げたすえに破局的大混乱を招き、それが一応の沈静化をみたならば、今度は米国で、投資会社が職にあぶれた数学者を大量に雇い、自ら明け透けに〝金融テロリスト〟と化して世界中の市場に壊滅的な打撃を与えながら富を貪ったことは記憶に新しい。世界の債券市場の総額が実質GDPを数十兆ドルも上回るという事態をうけて市田良彦らが率直に感嘆してみせるように、「世界はこの二五年間で〝生産する〟より多く〝借りる〟ようになったのだ。言い換えれば、私たちは未来の富を食いつぶしながら、生きるようになった。そんなことは人類史上かつてなかったろう」。[*35] ひょっとしたら、

＊33　カール・マルクス「フランスにおける階級闘争」村瀬興雄・成瀬治・都留大治郎・近江谷左馬之助訳、『共産党宣言』大内兵衛・向坂逸郎監修、新潮社、一九六五年、一二四頁。

＊34　一九四二年の『資本主義・社会主義・民主主義』以前にも、シュンペーターは遅くとも一九三六年には〝資本主義終末論〟を展開していた。J. A. Schumpeter, "Can Capitalism Survive?," *The Economics and Sociology of Capitalism*, Richard Swedberg ed., Princeton University Press, 1991.（前掲『資本主義は生きのびるか』第8章）

この時点ですでに、シュンペーターが思い描いていた資本主義なるものは滅んでいたのかもしれない。つまり、彼の予測はすでに当たっていたのかもしれない。

それを「社会主義的」と見なすかどうかは措くとして、「終末後」の社会的、政治的現実も、おおむねシュンペーターの予測どおり、〝脱工業化社会〟であるとか〝情報化社会〟などという一昔前の流行語にもわずかながら残されていた明るいイメージを完膚なきまでに陳腐化させてしまうほど、生気を欠いた虚無的なものであるようだ。政治はリスク管理のための〝ガバナンス〟――つまるところ一揆の防止である――にすり替えられ、経済主体は、あまねく「人的資本たる労働者」に置き換えられる。それと並行して、荒々しい新結合の代わりに、無毒化され、管理の行き届いた〝技術革新〟が、行政主導で効率よく進められてゆく。〝持続可能性〟というもうひとつのバズワードは統治者（と思い込んでいる）側の願望を雄弁に語っている。時間を寸断させるアントレプレナーとは正反対に、国家が躍起になるのは、時間の流れを持続させ、あわよくば永続させることである。官僚たちは相変わらずカレンダーとにらめっこをしながら工程表を作るのを何よりも好む。彼らは無限に続く自然数を崇拝している。つまり、〝正真正銘の主権者〟の名のもとに、何枚めくっても終わらない暦を夢想するのである。

＊35　市田良彦・王寺賢太・小泉義之・長原豊『債務共和国の終焉――わたしたちはいつから奴隷になったのか』河出書房新書、二〇一三年、四〇頁。

間奏　ラクラウ

第Ⅳ章　回帰する人民

ポピュリズムと民主主義の狭間で

境界域と関係性

社会の「屑、ごみ、かす」などとマルクスに侮蔑された最下層民、経済的な階級構造の埒外へと放逐され、決して社会変動の積極的なアクター／ファクターと見なされることのなかった「ラ・ボエーム」が、ただ受動的な仕方で政治的に動員されるばかりでなく、こともあろうに革命的、覇権的な巨大ブロックを構成するとすれば、そこではいったい何が起こっているのだろうか——。マルクスのボナパルティズム分析からこうした問題設定を引き継ぎ、さらにはそれを反転させて、現代社会における民主主義革命の深化に理論的な根拠を与えることが、エルネスト・ラクラウの試みであった。その際、思想史的に興味深くもあり、また理論的に重要でもあるのは、ラクラウがマルクス主義の階級闘争論に様々な精神分析の概念装置を再度導入したことである。ただし、それは、マルクス主義に初期フロイトを組み込んで、たとえば「心的装置」を経済同様、社会の下部構造と同列に置こうとしたり、ましてや初期マルクスの疎外論にフロイト的意匠を凝らすことで、分厚い埃をかぶったヘーゲル左派の思想を現代に蘇生させようとしたりするものではまったくない。ラクラウによるフロイト＝ラカンの援用や精神分析的着想は、フロムやマルクーゼなどはもちろん、ある限定的な意味において、アルチュセールからさえ、かなり隔たりのあるものとなっている。ラクラウは、古典的マルクス主義の階級概念では分類することができなかった「不気味な隣人」たちが、その階級概念や階級言説の再編成を促すという奇妙な事態を理論化するためにこそ、精神分析の力を借りるのであり、しかも彼ほどあからさまな仕方でそれをおこなう者は他に例を見なかったといってよい。

多くの政治学研究者たちの目に、ラクラウがいくぶん扱いにくい人物として映る理由も、おそらくはそこにある。革命的社会変動につきまとう不可解な部分のメカニズムは、その評価に関しては論者により異なるとしても、すでにマルクス＝ラカン＝ラクラウの線で相当程度に図式化され、明瞭な輪郭を与えられている。にもかかわらず、「ラディカル・デモクラシー」を奉ずる者でさえ、彼の公私にわたる長年のパートナーであったシャンタル・ムフの議論は好んで参照する一方、その唱道者である人物が展開した理論的細部には安易に立ち入ろうとしない。*1 ラクラウのなかではグラムシと同様に大きな位置を占めているフロイト＝ラカンの諸概念が各要所に切り離しがたく組み込まれているため、彼の理論体系は多くの同業者に「専門外」の感を抱かせがちなのではないだろうか。以下の考察では、ラクラウのヘゲモニー論を、その前史からたどって整理するとともに、本人が自覚する以上に彼の立ち位置がマルクスとラカンの交差する地点にあるのを見るだろう。

フランクフルトの研究者たちとは鋭い対照をなすかたちでマルクス主義に精神分析を導入したのは、むろんラクラウがはじめてではない。周知のとおり、アルチュセールにとっても、

＊1　ラクラウに対する理論的な批判は、政治学者ではなく、むしろスラヴォイ・ジジェクのような哲学者、批評家から提出されている。たとえばラクラウの *Hegemony & Socialist Strategy — Towards a Radical Democratic Politics*（verso, 1985、邦訳は前掲『民主主義の革命』）に対するジジェクの鋭い批判に関しては、ラクラウの著作（*New Reflections on the Revolution of Our Time*, verso, 1990、邦訳『現代革命の新たな考察』山本圭訳、法政大学出版局、二〇一四年）に付録として掲載された“Beyond Discourse-Analysis”（pp. 249-260、「言説－分析を超えて」）を参照されたい。ラクラウはジジェクの批判の適切さを率直に認め、自身の著作にいち早く彼の論文を掲載したのであった。ラクラウの晩年ではほとんど論敵同士となっていた二人の知的交流は、すくなくとも九〇年代半ばまではかなり良好なものであり、英国エセックス大学のラクラウの Ph.D. セミナーにはほぼ毎年、ジジェクを含むスロヴェニア・ラカン派の研究者たちが訪れていた。

「人の顔をしたマルクス」ではなく、資本主義社会のイデオロギーを唯物論的に分析するマルクスの復権のために、精神分析の諸概念、とりわけラカンの仕事は大きな助けであった。「ラカンこそ、精神分析上の事実についてのいかなる理論的作業にとっても要請される条件として、生物学－動物行動学－心理学－文化主義とのこの断絶の絶対的な必然性を最初に、しかも均一的に、執拗に、強力な論拠にもとづいて明白にした」[*2]ことを、アルチュセールは彼自身の分析医でもあったとされるルネ・ディアトキーヌに切々と訴えている。そのアルチュセールのフロイト＝ラカン解釈は、後述のように、彼がフロイトから借り受けた諸概念（「重層決定」、「置き換え」等）や精神分析的着想（イデオロギー的「呼びかけ」と主体化）とともに、ラクラウの理論展開にあっても枢要な位置を占めているのである。

ラクラウの理論へと歩を進める前に、アルチュセールとフロイト＝ラカンとの関係について、その一断片を見ておこう。アルチュセールは、戦後のフランスにおけるフロイトの受容をおおむね不快に感じていただけでなく、それがイデオロギー分析には有害無益なある種の〝反動〟でさえあると確信していた。「イデオロギーへと堕すのは、精神分析が生物学主義、心理学主義、社会学主義へと堕すことから始まっているのだ」[*3]とアルチュセールがいうのは、彼を取り巻く当時の知的状況に対してである。アルチュセールによれば、フランスではポール・リクールの師であるローラン・ダルビエ、さらにはジョルジュ・ポリツェルを経由しつつ、フロイトの精神分析が哲学的考察の対象となって広まったが、それははっきりと政治的な意味での

〝敵〟の勢力が、当初は〝味方〟として期待されていた知識人たちを徐々に飼い馴らしてゆく過程にほかならなかった。

マルクス主義者たちが、みずから告発していた当のイデオロギーの、直接的にせよ間接的にせよ、それなりの仕方で最初の犠牲者であったと今日はっきり言うことができる。というのも、彼らは、このイデオロギーとフロイトの革命的な発見とを混同してしまい、そうすることで敵の立場を事実において受けいれ、敵自身の条件を蒙り、敵から押し付けられたイメージのなかに精神分析のいわゆる現実性を認知したからである。マルクス主義と精神分析のあいだの関係をめぐる過去の歴史全体は、本質的にはこのような混同と詐欺に依拠している。[*4]

フロイトをいわば裏返しの〝ファミリーロマンス〟の閉域に押し込め、最終的には生物学主

＊2　ルイ・アルチュセール『フロイトとラカン――精神分析論集』石田靖夫・小倉孝誠・菅野賢治訳、人文書院、二〇〇一年、六七頁。
＊3　同書、二六頁。
＊4　同前。

義的汎性欲論を精神分析の理論的な核心部とする解釈、あるいはそれらとは一見正反対な、精神分析を可視的な仕方で検証可能な実験心理学の未成熟で前科学的な形態と見なす立場等々、それらはすべて、ブルジョア・イデオロギーの烙印を押されることになる。なかでもアルチュセールがとりわけ憤りを隠さないのは、理論的な抽象化を一切排するアプローチに対してであった。ポリツェルが提唱する「具象心理学」(psychologie concrète)は、当然ながらアルチュセールの激しい非難を浴びる。

「敵の立場を事実において受けいれ、敵自身の条件を蒙り、敵から押し付けられたイメージのなかに精神分析のいわゆる現実性を認知した」として断罪される者のなかには、哲学のビッグネームが含まれており、メルロ＝ポンティとサルトルは、ポリツェルの影響下でフロイトを度し難く誤読した代表格とされる。アルチュセールは、たとえばサルトルに関して、フッサールなどを押しのけ、彼の「唯一の師、唯一真の師と言えるのはポリツェルです[*5]」とさえ、言い切るほどであった。

ポリツェルのフロイト批判は、乱暴にいえば、「無意識」の理論的地位への批判に収斂されるが、それはおおよそ次のような具合である――分析家は被験者が報告する諸表象を「第1の物語」として再構築し、その過程で、被験者の抵抗、否認を通じて作用する無意識の領野を遡及的に見出そうとするが、そうした無意識、もしくは無意識的潜在性なるものは、つまるところ、神秘主義の名残を色濃くとどめた「古典的心理学」の負の遺産であり、フロイトがそれを捨てきれずに持ち込んだ結果として「機能的形式主義のために作られる第2の物語」[*6]なのだ。言い換えれば、それは被験者その人から乖離した「三人称」で語られる心理学的「実在」の創作、あるいはそのようなものとしての抽象化にすぎない。ようするに、こういうことだ——「夢を見た人に夢の意味がわからないこと、記憶の待機性、および後催眠記憶（mémoire pothypnotique）の見かけの範囲と実在的範囲との不釣り合いは、厳密な意味では無意識の証拠とはならない。（…）無意識が提示されるのは、純然たる事実にもとづくのではなくて、古典的心理学の手法に

＊5　ルイ・アルチュセール『精神分析講義——精神分析と人文諸科学について』信友建志・伊吹浩一訳、作品社、二〇〇九年、九〇頁。

＊6　ジョルジュ・ポリツェル『精神分析の終焉——フロイトの夢理論批判』寺内礼監修、富田正二訳、三和書籍、二〇〇二年、二〇二頁。一九二八年に刊行されたこの書の原題は *Critiques des fondements de la psychologie*〔心理学の諸基礎批判〕であるため、「終焉」という語が付されたこの邦題はいささか誤解を生むかもしれない。ポリツェルが「フロイトは具象心理学の創始者である」（同書、一四〇 - 一四一頁）とさえいうとき、彼の主張の力点は、精神分析の息の根を止めようとすることよりは、むしろ、それを取り込んだうえで自らの「具象心理学」なるものの開始を宣言することのほうに置かれているように思われるからだ。もっとも、ポリツェルの解釈にフロイトの理論的要諦がなおも生きながらえていると考えるフロイト研究者はきわめて少ないであろうが、実はアルチュセールもポリツェルが「フランスで精神分析の革命的な理論的射程を把握した最初の人であった」（『フロイトとラカン』四七頁）ことは認めている。

したがって変形された事実にもとづいている」[*7]。

これに対するアルチュセールの反論は単純明快なものである。「いかなる考察も、抽象概念を用いることができなければなされ得ない、そして問題は抽象概念と非抽象的概念、すなわち非-抽象とのあいだにおいてではなく、科学的な抽象概念と非科学的な抽象概念のあいだにおいて機能するものなのです」[*8]。ポリツェルは被験者によって語られた言葉、そしてそれが語られ、分析家がそれを聞いたという事実の自明性——「実際の物語以外に心理学的情報といえるものは何もない」[*9]——を前にして自らの思考を停止させる。しかし、そのような自明性こそが「非科学的な抽象」にほかならない、とアルチュセールはいう。ポリツェルが「具象」と考えるのは、被験者が口頭で報告した「第1の物語」だけであるが、しかし、それはそもそも被験者自身による「一人称」の言葉といえるのだろうか。それは本当に目の前にあるあれやこれと同じ水準で語ることのできる「具象」なのか。むしろ、ポリツェルのいう「一人称という概念は具象的なものであろうとしていますが、しかしそれは抽象なのです」[*10]。

では、「科学的な抽象概念と非科学的な抽象概念」との違いは何であるとアルチュセールは考えるのだろう。彼はラカンの分析手法にその解を見ている。

ラカンがフロイトのなかで考えたような精神分析の「抽象物」は、これらの抽象物がその対象に関する概念として抽象の必然性の指標、尺度そして基礎を内に含み持っているかぎりにおいて、すなわち、抽象物と「具体的なもの」との関係の尺度そのものを、したがって、普通、分析上の実践（治療）と呼ばれているその応用の具体的なものと抽象物との固有な関係を内に含みもっているかぎりにおいて、まさしく対象に関する真正な科学的概念なのである。[*11]

科学は真に「具体的なもの」を扱うが、「具体的なもの」の具体性／具象性は、質感をともなっていたり人間の五感において確認できたりすることにあるのではない。具象Aの具体性／具象性は、そこから抽象された抽象BがAとの「固有な関係」を自らの「内に含みもっている」かぎりにおいて」理論的な水準での認識が可能となるのであり、つまりは科学が取り扱う具象となる。ポリツェルは、精神分析が被験者から口頭で得た唯一の「心理学的情報」、「純然たる事実」としての「第1の物語」と、分析家が突き止めたと称する「第2の物語」という二つの「実在論」を前提すると信じているが、そこには関係性の視点が抜け落ちている。具象A（患

＊7　ポリツェル『精神分析の終焉』一九三頁。
＊8　アルチュセール『精神分析講義』四八頁。
＊9　ポリツェル、前掲書、二三〇頁。
＊10　アルチュセール、前掲書、四九頁。
＊11　アルチュセール『フロイトとラカン』四七－四八頁。

者、被分析者、被験者の語り）が抽象B（分析家の語り）に抵抗しているとき、それらが石ころのように道端に転がっている二つの素朴な「実在」であるかのように想定することなどどうしてできようか。後者は自らの「実在」の優位性を押し付けがましく自己主張するために措定された形而上学的「抽象物」ではなく、前者が自足的な「純然たる事実」ではあり得ないことを、Aの抵抗的、否定的な語りとの関係性において剔抉するものなのだ――。

　フロイトの精神分析を具象と抽象、外部と内部の関係性において理解すること、むしろ、関係性においてはじめてそれら二項がそのようなものとして把握できるという着想は、フロイトとマルクスの類似性を考えるうえでも、アルチュセールにとってはポリツェル論争以後も変わらぬ論点であり続けた。たしかにフロイトとマルクスとでは、単純に分析の対象が異なる。ポリツェルが論難したフロイトの無意識概念からして、われわれに「心的なものを非-心的なもの、あるいは非-心的なものから派生した結果と同一視することを許さない[*12]」だろう。しかし、とアルチュセールは続ける、

> 無意識と、生物学的なもの、社会的なものとのあいだに何らかの関係が存在することを、フロイトが否定したわけではない。心的生活の全体が欲動（*Triebe*）を介して生物学的なものに「依拠」しているのであり、フロイトはこの欲動を身体的なものによって心的なもののなかに送り込まれた「代表」だと考えた。この代表という概念によって、フロイトは欲

動（本質的につねに性的なもの）が生物学的に基礎づけられることを客観的に認めるという責務を果たし、同時にこの概念によって、無意識の欲望という欲動を生物学的なものによるあらゆる本質規定から解き放った。欲動とは「身体的なものと心的なもののあいだにある境界概念」にほかならない。そして境界概念であるとともに、この境界に関する概念、すなわち身体的なものと心的なものの差異に関する概念でもある。[*13]

かたやマルクスにしても、「具体的な個人を見失ったわけではなく、個人もまた〝具体的なもの〟であるがゆえに、〝数多くの決定の総合〟にほかならない」[*14]と考えていたのであってみれば、資本主義社会において個人が担い手となって果たす諸機能のステータスと、その個人における欲動のそれは、ともに具象（下部構造、〝身体的なもの〟）と抽象（上部構造、〝心的なもの〟）の中間にあたるものとして相同的であるはずだ。両者はまさに「境界概念」であり、それぞれの両端に措定された二項が織りなす弁証法的作用の結節点であるがゆえに、それらの固有な位置関係を測る「尺度」たり得るのである。あらためて人間の解剖が、ただそれのみが猿

＊12　同書、二六五頁。以下、同書からの引用における強調はすべてアルチュセールによる。
＊13　同書、二六五－二六六頁。
＊14　同書、二六一頁。

ものの解剖に役立つだろう。ブルジョア・イデオロギーが個人を「統一性と意識（その統一性そのもの）を備えた人間として、提示する」[*15]のに対抗して、フロイトとマルクスの「境界概念」はそれが関係的なものであることを提示する。反対に、「境界概念」を抜きにした「悪しき抽象化」によって開かれるものはといえば、それは「ただサルトルとメルロ゠ポンティへと通じる道だけ」[*16]である、とアルチュセールは断じる。

フロイトの読解にあってもマルクスの読解にあっても、アルチュセールの個別的な「生物学主義、心理学主義、社会学主義」批判が、つねに、そしてほぼ同時に、より包括的なイデオロギー分析へと転じるのは必然であった。素朴な実在論と「非科学的な抽象」をともに斥ける「対象に関する真正な科学」としてのマルクス主義は、いまや社会における象徴秩序とそのダイナミズムを決定的な「指標」もしくは「尺度」とすることで、諸々の「イデオロギー装置」の分析へと舵をきるのである。

かくして、アルチュセールはマルクス主義が精神分析を招聘する際のあらたな方向性と一定の形式を提示したが、それこそが、「具体的な」階級闘争の分析のために、言説という「抽象物」をよりいっそう前面に押し出すラクラウの方法論に色濃く反映されるのであった。ただし、ラクラウによる「生物学主義、心理学主義、社会学主義」批判は、のちにマルクス主義そのものへの批判となり、共産主義でもなければ社会主義でもない別の大義、「ラディカル・デモクラシー」という大義を彼に導くことになる。

突出する媒介者

一九八五年に刊行された『ヘゲモニーと社会主義戦略――ラディカル・デモクラシー政治のために』以降、ラクラウは、いかにして現代社会のさまざまな政治的諸要求がひとつの巨大な覇権的ブロックを形成しつつ政治空間に可変性を持ち込み得るのかを、徹底的な形式化、図式化の試みとともに解明しようとした。それは、彼が直面した政治的大変動がいかなる形式も図式も受け付けないような不条理な現象であるように思われたことの裏返しでもあった。その際、冒頭で触れたラカンは、もちろん彼の理論的要諦をなしているが、そのほかにも、デカルト、カント、ヘーゲルからヴィトゲンシュタインやデリダの哲学、ソシュール、バンヴェニストの言語学、フレーゲの論理学等々、援用される領域もテクストも非常に多岐にわたっている。ちょうどラカンがそうであったように、ラクラウの〝脱領域的〟手法は、各当該領域の専門家には、不正確で生半可な〝理論的ツール〟を恣意的かつ無節操に使っているという印象さえ与えるかもしれない。他方、「予想されたとおり、消えゆく正統派マルクス主義のエピゴーネン

＊15　同書、二五八頁。
＊16　アルチュセール『精神分析講義』四九頁。

たちからの攻撃も受けている」[*17]とラクラウ自身がかつて述べたように、マルクス主義陣営のなかには、ラクラウが革命の切迫感を欠いて論理的な操作をいたずらに弄ぶことをもって理論と称しているかのように感じる者もいるだろう。「正統派マルクス主義者」であるかどうかは措くとしても、たとえばテリー・イーグルトンのような人は、ラクラウ（ならびにムフ）の「すべてをディスクールという項目でくくってしまうようなやりくちは、対象を理解するときに用いるディスクールという概念が、対象そのものに投影され、対象そのものがディスクールに見えてしまった結果とでもいえるのであって、このようなやりくちは、観念論ではおなじみである」[*18]と論難している。ここでイーグルトンは、ラクラウが「言説」なる概念に軸足を置くのは、革命の実践を諦めた左翼理論家にありがちな、〝現代思想〟風の修正主義にすぎないといっているのである。ざっくばらんにいえば、「実際問題として実践はディスクールではなくあくまで実践であるということにつきる」[*19]というわけだ。

もしも「実践は実践だ」と強弁するこの種の批判が、われわれに「純然たる事実にもとづく」「具象心理学」を標榜したポリツェルのフロイト批判を想起させるとすれば、また、もしもそのポリツェルに対するアルチュセールの批判が、「具象＝実践」と「抽象＝理論」という素朴な二元論からラクラウを救い出す糸口でもあり得るとすれば、その場合、アルチュセールがフロイトとマルクスに見たような「対象に関する真正な科学的概念」が、ラクラウの理論においては何であるのかが問われなければならないだろう。

ラクラウのヘゲモニー論は、実はたったひとつの大きな分析的枠組みのなかで展開されている。その枠組みとは、ポピュリズムである。彼はポピュリズムという現象を批判的に分析するが、それを単に否定的に捉えるのではなく、ポピュリズム運動のなかにこそ、民主主義革命の萌芽を見出そうとする。控えめにいって、ポピュリズムの少なくともある側面は、民主主義の誤った成り行き、歪んだ形態などではまったくなく、むしろ理論的にその不可欠な契機であるとラクラウは考えるのだ。ラクラウがそう思い当たるにいたったのは、彼が英国に亡命する以前の母国アルゼンチンで吹き荒れたペロン主義にその源流があった。フランスでボナパルトが大統領就任を経て皇帝にまで登りつめたその約百年後、諸階級が闘争どころかボナパルトの放つあやしげな政治的権威へと収斂してしまったのと同様に、アルゼンチンでは互いに相容れない「階級的利害」を抱えているはずの諸勢力がひとりの軍人のもとに集結した。そして、ちょうどマルクスがそうであったように、ラクラウもその不条理に衝撃を受け、階級闘争論の再考を強く促されたのである。

---

*17 Ernesto Laclau, *New Reflections on the Revolution of Our Time*, p. 99.

*18 テリー・イーグルトン『イデオロギーとは何か』大橋洋一訳、平凡社ライブラリー、一九九九年、四五五頁。文中の強調はイーグルトンによる。

*19 同前。

ファン・ペロンが戦後のアルゼンチンで築いた体制を、ひとしなみに中南米諸国における左翼独裁の一類型と見なしたり、いわんやそれをファシズムと同一視したりするのは、あまりに不正確であるとラクラウはいう。ラクラウによれば、確かにペロンはポピュリズム運動を通じてアルゼンチンの「ボナパルト」として登場したが、イデオロギーという観点からすれば、彼の施政とそこでの役割は、ファシスト的と呼べるものではない。というのも、ファシストが、非常にしばしば明確な政治的スローガン、公式的なイデオロギーの司祭として君臨するのに対し、ペロンがアルゼンチンのイデオロギー空間で占めていた位置は、「媒介的」なものにすぎなかったからである。

ペロン主義のよく知られたイデオロギー的貧困と公式的な教義の欠如は、まさに国家とペロン自身のこうした媒介的性質によって説明づけられる。(…)ボナパルティズム体制は、互いに反対する諸勢力を媒介する能力にこそ、その権力の源泉が見出されるものであるため、それは定義上、イデオロギー装置による統合や同化を求めないのである。*20

ラクラウは、ペロンが何をどのように「媒介」したというのだろうか。これを知るには、一九四六年に彼が大統領に就任するまでの、アルゼンチンの特異なイデオロギー的布置を振り返っておく必要があるだろう。

前ペロン期のアルゼンチンでは、相互に異なる四つのイデオロギーが混在していたとラクラウは分析している。[*21] ひとつめは、寡頭制イデオロギーである。複数の大土地所有者による事実上の国土分割と家父長的支配体制は、得てして近代化が遅れた社会の前資本主義的な残滓として、近代的資本主義社会への過渡期であると見なされる傾向にあるが、他の多くのラテンアメリカ諸国がそうであったように、一九世紀末から二〇世紀初頭にかけてのアルゼンチンの場合、寡頭制はまさにグローバルな資本主義と完全に親和的であった。大土地所有者は自分らの〝領土〟で生産された農業生産物を世界市場で流通させることに腐心しており、それは政治的には、農産物輸出を政府間レヴェルで側面から支援する中央行政府への支持、その思想表現としては親ヨーロッパ主義、もしくは自由主義の肯定というかたちをとった。当時のアルゼンチン議会は、したがって、寡頭制支配者層の利害調整の場という性質が非常に強く、「議会の権限と大土地所有の覇権は同義的」[*22]であったとラクラウはいう。

これに対し、一九一六年に大統領に就任した急進党のイポリト・イリゴージェンは、寡頭制と自由主義との相乗り状態を解消して、アルゼンチンをいわば〝より普通の国家〟に仕立て上

*20 Ernesto Laclau, *Politics and Ideology in Marxist Theory*, p. 198.
*21 *Ibid.*, pp. 181-186.
*22 *Ibid.*, p. 178.

げようとした。過去に数々の市民運動を組織してきたイリゴージェンが目指したのは、萌芽期にある「人民の＝民主主義的要求」（popular-democratic demand）が徐々に各地域を越え出て寡頭制的自由主義イデオロギーから離脱し始めたのを背景に、国家を単なる利害調整機構から、国家資本主義（State Capitalism）を担う確固とした統一体へと変貌させることであった。これがラクラウのいう、ふたつめのイデオロギー、急進党（急進市民同盟、Unión Cívica Radical）のイデオロギーである。それは、外には国家資本主義体制を整え、内には寡頭制支配者層から人々を引き離しつつ、彼らの個別的な諸要求を吸収することで、「国家」と「国民」との直接的な関係を構築せんとするものであった。

イリゴージェンの急進党が寡頭制的自由主義から「寡頭制」の要素を薄めようとしたのに対し、三つめのイデオロギーはそこから「自由主義」を消し去ろうとするものであった。それは、アルゼンチン入植者の伝統を頑なに保守し、寡頭制支配者層による連邦主義の維持を訴えるものであり、基本的に好戦的かつ権威主義的な傾向を色濃くする〝反動的〟言説を形成した。ラクラウによれば、この反自由主義的寡頭制の信奉者たちは、フランス王党派の右派イデオローグにしてアクション・フランセーズの設立者、シャルル・モーラスの強い思想的影響下にあったという。[*23]

ラクラウが最後に挙げるのが、社会主義ならびに共産主義イデオロギーであるが、奇妙なことに、それらはひとつめの寡頭制イデオロギーと共犯関係にあった。当時のアルゼンチンで古典的マルクス主義が概念化することのできる「労働者階級」は、その大半がヨーロッパからの移民によって構成される層であった。彼らヨーロッパ系移民たちの価値基準からすれば、アルゼンチンの土着労働者による草の根の「人民の＝民主主義的要求」などは、方向性も志向性も定まらない喧騒以上のものではあり得ず、資本化と〝文明化〟の進展にともない早晩消え去ってゆくという程度のものであった。こうした状況が、労働者同士の団結による大きな政治的ブロックの形成を困難にさせていたが、さらに、そこに社会党と共産党の〝公式的〟マルクス主義の見解が加わると、政治的な言説としてはよりいっそう救いがたいものとなった。ラクラウはそれを、最大限の軽蔑を込めておおむね次のようにまとめている――プロレタリア革命がアルゼンチンで可能となるためには、まずはブルジョア資本主義の十分な発展が不可欠なので、現地住民の土着主義的反乱よりは、むしろ寡頭制的自由主義の加速化をこそ支持しよう。

こうして、社会主義イデオロギーは自由主義の言説に特徴的な接合的／分節的（articulative）アンサンブルを受け入れたが、そこにただひとつの要素を付け加えたのである――労働者階級の還元主義だ。[*24]

*23　*Ibid.*, p. 184.

革命的社会変動の担い手をひたすら古典的マルクス主義の紋切り型でもって分類する「還元主義」は、「人民の＝民主主義的要求」を〝歴史を貫く鉄の法則〟からこぼれ落ちた前資本主義的な無知蒙昧、もしくは「屑、ごみ、かす」の取るに足らない反乱として放置する方便を用意したうえ、あまつさえ、事実上、寡頭制的自由主義に与する口実を与えたのだ、とラクラウは非難する。もしもこの観察が正しいとすれば、当時のアルゼンチン前衛党は、皮肉にも、ラクラウ的な意味ではなく、まさに厳密にマルクス的な意味でのイデオロギーの純粋な形態——その行為遂行的性質——を自ら体現していたということにもなるだろう。しかし、何より政治的に致命的なのは、両党がともにそうした〝喧騒〟や〝反乱〟を自らの運動に取り込むだけの理論的射程も青写真もまったく持ち合わせていないことであった。「イデオロギー的貧困」は、ペロン主義とは正反対の方向と性質のものではあるが、左派政党にも共通していたのである。

これら四つのイデオロギーは合従連衡と離反を繰り返しながら混在した。寡頭制的自由主義者たちは、国家が本格的に集権化されて自分らの〝取り分〟を侵蝕することには猛反発した——彼らにとって急進党のイリゴージェンは〝ファシスト〟だった——が、他方、国家資本主義を目指す勢力はといえば、「人民」の「国民」への再編を企図しながらも、「人民の＝民主主義的要求」がグローバルな自由主義経済への積極的参入を妨げ、国民経済を攪乱するほど尖鋭化することには警戒していた。〝反動的〟連邦主義の唱道者たちは反自由主義的かつ反民主主義的であったにもかかわらず、その連邦主義的前提を、寡頭制的自由主義者だけでなく、前述のように左派勢力とも共有していた。このように、一方が他方を完全に排除しきることなしに、それぞれがそれぞれの個別的利害にまつわる諸要件を分有していた、というのがラクラウの見立てである。

ラクラウは、古典的マルクス主義の公式が前述の如きアルゼンチンのイデオロギー状況をまったく把握できていなかったと指摘する。しかし、そのことに対する憤りが、単純だが重要な二つの基本的着想を彼に与えもした。それは、第一に、どのようなイデオロギーが支配的言説を形成するかについては法則など存在せず、また、誰がどの政治的ブロックにどの程度の強度でもって与するかは本質的に偶発的（contingent）かつ恣意的（arbitrary）であること、そして第二に、それゆえ、階級闘争は不安定で不定形な「人民の＝民主主義的要求」をその都度組み込み、接合／分節化するためのイデオロギー闘争、もしくは言説的（discursive）闘争でなければならない、というものだ。たとえばある著作で、ラクラウはギュスターヴ・ル・ボンの『群衆心理』を批判的に読み直しているが、そこでもこの二つの着想は彼の読解の基調をなしてい

＊24　*Ibid.*, p. 186. ここで「接合的／分節的」（articulative）という耳慣れない語が使われているのは、本論で後述のように、すべての言説は覇権的諸力が織りなす闘争によって様々な断片へといったん分解され、再度接合／分節化される結果として形成される、というラクラウの考えによるものである。

るといってよい。産業革命以後の大衆化を背景に、ル・ボンは、「人民」（peuples）は集団になると救いようがなく愚かで気まぐれな群れ（masse）と化して、権力者の不合理な「断定」と無根拠なスローガンの「反復」を容易に受け入れるとともに、さらにはその受容的態度を連鎖反応的に互いに「感染」させ合う傾向を持つと主張した。ラクラウはル・ボンが一九世紀末に提出したこの見解の変わらぬ妥当性をあらためて認めるものの、「人民」のそうした傾向を、合理に対する不合理、理性に対する非理性もしくは情緒といった古めかしい対立図式で語り尽くすことは、いまや理論的にも経験的にも「人民」の実相を見落とすことにしかならないという。

現代の理論的な言い回しを用いれば、ル・ボンはここで二つのよく知られた現象について暗に言及しているといえるかもしれない。つまり、シニフィアンとシニフェの関係（ル・ボンの言葉でいえば語とイメージの関係）の不安定さであり、そして、意味の多元性を特定の一語の周りに圧縮させる重層決定の過程である。しかしながら、ル・ボンにとってはイメージのアソシエーションは言語そのものの本質的な構成要素ではなく、その倒錯であったのだ。[*25]

正確なメッセージを認識する個人の知性は、その集合体である「人民」にあっては、歪曲されたイメージを無批判に、もしくは嬉々として受け入れる情動へと後退してしまう。これは

「然り」であるかもしれない。ル・ボンの「人民」批判は、しかし、どことなく、かつてアルゼンチンの前衛党が「人民の＝民主主義的要求」を反文明化の象徴、後進性の残りかすとして切り捨てたことと重なってはいないだろうか——。ソシュール言語学やフロイト＝ラカンの精神分析理論で幾度となく変奏される「よく知られた現象」に触れながら、ここでラクラウがほのめかしているのは、雲をつかむように捉え難い「人民」の動き、その要求内容や方向性の「不安定さ」が、良くも悪くも、「アソシエーション（接合／分節化）」と「重層決定」を通じた覇権的ブロックの構築を根拠づけるということである。

その〝悪しき〟範例として、つねにラクラウの理論に具体的なイメージを与え続けた政治的原風景こそが、ペロン主義であった。ペロンは、一九三〇年に急進党をいったん崩壊させた軍事クーデターにも参加した叩き上げの軍人だが、実際の政権運営においては決して極端な軍国主義に走らなかった。彼はまた、外国企業によるアルゼンチンの富の搾取を非難する国家主義者であったが排他主義的ショーヴィニストではなく、戦後、〝死の天使〟メンゲレやハンナ・アレントの〝凡庸な悪〟で知られるアイヒマンといった重要戦犯を幾人も匿うナチス・シンパであったが、その一方で、南米で最も多くのユダヤ系移民を受け入れる反人種差別主義者、少なくとも、非-人種差別主義者でもあった。[*26] かくの如きペロンの多面性は、複数のイデオロ

---

*25 Ernesto Laclau, *On Populist Reason*, p. 22.

ギー的要素が入り混じるアルゼンチンにあっては最適な媒介項として機能したのであり、ラクラウによれば、これがボナパルティズムとしてのペロン主義を他の左翼独裁型社会主義やファシズムから隔てる特異性であった。

解放性としての「人民」

ラクラウの分類にしたがえば、たとえば毛沢東とパルミーロ・トリアッティは共産主義者ではなく、「人民」のポピュリズム的動員を企図する社会主義者ということになる。彼らは、「人民の＝民主主義的要求」と既存の支配者層との矛盾を国家形態の革命的変革につながる対決にまで昇華させることを求めたが、その対決は、のちに共産主義国家の成立に結実しようと穏健な社会主義政党への転換を導こうと、いずれも国家と「人民」の再編成、より正確には、「人民」をあらたな接合／分節化過程へと取り込むための闘争を意味するものであった。かたやファシズムは、同じく既存支配者層との敵対的関係性を軸としてはいるものの、その敵対性は、最終的に人種差別主義やコーポラティズムの様相を強く呈しながら、国家の統一性を阻害するエイリアンとの敵対関係に帰着することになる。ようするに、両者はともに階級闘争として既存支配者層との決定的な対決を含んでいるが、その収斂のさせ方において異なるということである。

他方、ペロンのポピュリズムには左翼独裁型社会主義にもファシズムにもない、ある際立った特徴があった。ペロン主義における巨大な政治的ブロックの構築は、敵対的接合／分節化を一方向に収斂させることなく、それぞれの対立を中性化させ、曖昧なかたちで併存させるものである、とラクラウはいう。

それは本質的に、体制支持を敵対的接合／分節化のプロジェクトに基礎づける様々な「エリート」の存続を許すとともに、それら〔「人民」と支配者層〕のあいだの媒介的な力として国家を承認するという点にある。こうして、体制支持を「ポピュリズム」の接合／分節化に基礎づけようとする集団と教権主義的（clerical）反自由主義、「ポピュリズム」とナチズム、「ポピュリズム」と組合主義的修正主義、「ポピュリズム」と民主主義的反植民地主義、そして最後に、「ポピュリズム」と社会主義がアルゼンチンでは共存したのだ。[*27]

＊26　ペロンの詳細な人物評ならびに当時のアルゼンチンの国内情勢に関しては、たとえばローレンス・レヴァイン（Laurence W. Levine）の *Inside Argentina from Peron to Menem: 1950-2000 From an American Point of View* (Edwin House Pub Inc., 2001) に詳しい。

＊27　Laclau, *Politics and Ideology in Marxist Theory*, pp. 197-198.

すでに一九三〇年代の世界恐慌がアルゼンチンのイデオロギー状況に変化をもたらしていた。寡頭制的自由主義陣営は、もとより折り合いの悪かった急進党政権との対立を深め、不正選挙工作を通じて中間所得者層の弾圧に乗り出すようになる。これにより、大土地所有者層のイデオロギーであった「自由主義」はますます利益誘導型に変質して「民主主義」とはほとんど相容れないものとなっていった。軍事クーデターで政権を追われていた急進党は、これに対抗するどころか、いまや大土地所有者層に乗っ取られた議会への従属的地位に納まる選択をするというありさまであった。その間隙を縫うように、反自由主義的寡頭制・連邦主義勢力が影響力を強め始めていた。アグスティン・フスト政権下の一九三三年、英国とのあいだでロカ＝ランシマン協定が締結されると、それまで周縁的地位に甘んじていた極右イデオロギーが、アルゼンチンに経済的従属を強いる英国への憎悪を梃子に、反植民地主義的ナショナリズムと軍国主義色を濃くしていったのである。他方、産業化の進展にともない国内移住者の数が増大すると、左派イデオローグたちは浮遊する前資本主義的「残りかす」が発する「人民の＝民主主義的要求」にも耳を傾けざるを得なくなり、旧来のヨーロッパ型階級還元主義からの脱却を迫られるようになった。

こうした変化のなかで、最終的に最も割を食ったのは、意外なことに、事実上の支配的イデオロギー、寡頭制的自由主義であった。急進党が模索していた「自由主義」と「民主主義」の和解、大土地所有者と「国民」との統合が頓挫した結果、「自由主義」は覇権を握るのではなく、徐々にその支配力を侵蝕されていったのだ。一九世紀末以来たびたび反対勢力からの攻撃を受けてきた寡頭制的自由主義は、結局のところ、混在状況においてこそその相対的優位性を保ち得ていたイデオロギーであったため、対立の先鋭化によって利するところはなかったともいえるが、とりわけそれが「民主主義」を接合／分節化し得なくなっていたことが致命的となっていた。「自由主義」と「民主主義」との対立は、一方で極右の反自由主義的連邦主義が「民主主義」との接合／分節化をおこなう土壌——これは以前にはあり得なかったことだ——を用意するとともに、他方では左派イデオロギーが同様の接合／分節化を通じて左翼ポピュリズムへと邁進する道を開いたのである。ラクラウはこれを、「イデオロギーの水準で開かれた裂け目（breach）であり、ここからポピュリズムの可能性が生まれた」[*28]と評している。

ペロンは、アルゼンチンのイデオロギー的布置において接合／分節化過程から逆に取り残されることになった寡頭制的自由主義との敵対性を前面に押し出したが、その際のキーワードは「民主主義」であった。

彼ら〔ペロンの政敵たち〕が民主主義の見せかけ、民主主義の上辺の形式を擁護するのに対し、私は本物の民主主義を希求する。投票用紙を買収して奪うという古めかしいインチ

＊28 *Ibid.*, p. 188.

キをおこなうべく、資本家たちが国家ぐるみでプロレタリアートの悲惨と遺棄を欲するのに対し、私は労働者、そして最も貧しい者たちをも資本主義の抑圧から守るために、より高い生活水準を希求する。[*29]

「民主主義」の名においてペロンが当初訴えかけたのは、いまや国内のそこかしこに溢れるあらたな浮遊層、つまりルンペンプロレタリアートであり、そしてプロレタリアートであった。大統領就任後の彼の中心的な政策である労働者（農村労働者も含む）の保護は実行に移され、生産性を超過する労働賃金の上昇がもたらされるまでに成果をあげたが、ただし、それは組合の中央組織化やメディアの国有化等々、現在の基準からすればとても民主主義的とはいえない政策と表裏一体となっていた。広く知られるように、しばしば反対派代議士たちの収容所送致という蛮行をおこなうことも厭わぬほど、ペロンの政治運営は確実に強権的なものでもあったのだ。にもかかわらず、彼の「民主主義」は、支持者たちに「ペロニスタ」[*30]と称される強固な支持母体——これはさしずめ、ボナパルトにとっての「一二月一〇日会」に相当するだろう——を形成させ、一九五五年の軍事クーデターによる国外追放後も、「人民の＝民主主義的要求」を接合／分節化する求心力を持ち続けた。なぜペロンへの支持はそこまで根強かったのだろうか。

厳密にいえば、ペロンの「民主主義的呼びかけ」（democratic interpellation）の対象は、プロレタリアートだけに限定されるものではなかった。彼の「民主主義」は、政策理念としてはきわめてルーズな掛け声であり、実際の社会主義的な富の再分配政策のかたわらで、プロレタリアートとは相反する階級的利害関係にあるカトリック教会や軍事エリートなどの既存支配者層をも、巧みに民主主義的アソシエーション、「人民の＝民主主義的要求」との接合／分節化に巻き込んでいったのである。それが唯一明確な敵として標的にしていたはずの大土地所有制でさえ、その息の根を完全に止められることなく現在にまでいたっており、たとえば二〇〇二年の時点で、アルゼンチンの全農地の五〇％がいまだに五〇〇〇ヘクタール以上もの土地を所有する大土地所有者によって経営されているという報告もある。[*31]

ペロンの「民主主義」は、極右から極左、既存支配者層からルンペンプロレタリアートにいたるまでの雑多なイデオロギー要素ならびにイデオローグたちをまとめて収納するための、概

＊29　*Ibid.*, p. 189. ラクラウの前掲書から、一九四六年大統領選の際のペロンの声明文を一部引用。
＊30　ペロニスタはのちに正義党（Partido Peronista）を結成、現在でもアルゼンチンの二大政党のひとつとなっている。
＊31　中村敏郎「平成20年度カントリーレポート：オーストラリア、アルゼンチン　第2章　カントリーレポート：アルゼンチン」『行政対応特別研究［二国間］研究資料第6号』農林水産省・農林水産政策研究所、二〇〇九年、七八頁。本稿での参照は電子版（https://www.maff.go.jp/primaff/kanko/project/attach/pdf/090824_20cr06_02.pdf）。

念的に空虚な器のようなものであって、国家はまるごとそのための装置として機能した。しかし、ここでいまひとつ釈然としないのは、「人民」という概念についてであるだろう。ペロンが首尾よく動員した「人民」とは、つまるところ、いったい誰であり何であったのか。「人民の＝民主主義的要求」なるものに、ラクラウはどのような理論的位置づけをしていたのだろうか。

「人民」はどの階級言説によっても決して完全に吸収されることがなく、イデオロギー領域の構築作用は決して完結することがないまま、そこにはつねに一定の開放性があるがゆえに、まさにイデオロギー闘争としての階級闘争も起こり得るのである。反対に、諸階級のイデオロギー群を、閉じられ、完璧に首尾一貫したブロックを構成していると考えるのは、それらの対立を純然たる機械的な衝突へと還元してしまうことなのであって、それはとても「イデオロギー闘争」と見なされ得るものではない。「人民」と諸階級との弁証法を否定するのは、したがって、イデオロギー的階級闘争を否定することになるだろう。[*32]

その担い手群は、出稼ぎの農村労働者や定職に就けない国内移住者、海外からの新規移民、軍人上がりのごろつき、権力闘争に敗れた元代議士等々の〝負け組〟の集まりであったかもしれないし、あるいはそこに、英国による経済植民地化に対して愛国主義的義憤に駆られた支配者層や「最も貧しい者たち」の惨状を見かねた聖職者たちなども含まれていたかもしれない。しかし、「人民の＝民主主義的要求」の出所を微細に特定することだけをもって分析を済ませるのであれば、それはペロン主義の重要な力学を見落とすことになる。もとより離合集散を繰り返しつつ混在していたアルゼンチンのイデオロギー状況にあって、運動、言説、そしてイデオロギーの担い手を固定的に捉えることは、アルチュセールが批判した「社会学主義」、あるいは「還元主義」にほかならない、とラクラウは確信していた。

ラクラウは、「人民」とは〝具体的に〟誰であり、「人民の＝民主主義的要求」とは〝具体的に〟何であるかを問うよりも、イデオロギー的流動性におけるそのステータスを概念化することのほうに力点を置いた。あえて定義づけをするとすれば、それは、特定のイデオロギー空間で覇権を争う諸力が「民主主義的呼びかけ」によって、その都度、自陣営へと接合／分節化を試みる対象すべてであり、なおかつ、その当の「呼びかけ」によって逆に――「弁証法的」に――、自陣営そのものに質的変化を惹き起こしてしまうような「開放性」(openness)と還元不能性それ自体の別名であったのだ。

「人民の＝民主主義的要求」の摑みどころのない性質にかかわっているがゆえに、ペロンの「民主主義」は曖昧で無内容なものであった。しかし、ペロン主義が強力な覇権的力を形成し

＊32　Laclau, *Politics and Ideology in Marxist Theory*, p. 195.

得たのも、それが限定的で「首尾一貫した」特定のブロックへと収斂することがなかったためなのである。

鳥のように自由な、あまりに自由な連帯

かくして、ラクラウは、イデオロギー闘争としての階級闘争が、実際の場面において何を為すものであるのかについて至極簡潔に一般化する。

> 労働者階級の基本的なイデオロギー闘争は、セクト主義や社民主義的日和見主義を避けつつ、人民の＝民主主義的イデオロギーを自らの言説に結び付けることにあるのだ。このバランスを維持するのは困難なことではあるが、しかし、階級闘争はつねに困難な闘争であって、レーニンに倣えば、それはまさに絶壁群のあいだを歩くようなものである。[*33]

「人民の＝民主主義的イデオロギーを自らの言説に結び付けること」が微妙な「バランス」を要する「困難」なものであるというのは、ラクラウの理論展開に鑑みれば見た目以上に含みのある言葉である。アルゼンチンの経験とペロン主義の分析から彼が導き出したのは、古典的マルクス主義の「階級還元主義」からはみ出た「人民」がそのようなものとして存在するという

ことではない――「孤立した諸要素が、構造から離れ、先験的なパラダイムに組み込まれた本質を〝それ自体に〟(in themselves) 持ち合わせている、などといういかなる主張も、正当性を欠いた形而上学的な物言いである」[*34]。ラクラウの議論で見逃してはならない最重要点は、「労働者階級」も含め、特定の階級に収まっているかに見える者も、なにがしかの偶発的な要因によって、実はいつでも「人民」になり得る、ということである。右翼が左翼になることも、自由主義者が反植民地主義者になることも、寡頭制のイデオローグが反ファシストになることも、そしてむろん、それらの逆も可能である。「人民」は諸階級の外部で蠢く、あれやこれやのルンペンプロレタリアートや得体の知れない人の群れをもっぱら指示するのではなく、むしろ階級アイデンティティに内在する流動性であり、こういってよければ、すべての階級の〝内なる(ルンペン)プロレタリアート〟として位置づけられているのである。一方が他方を吸収したり、その他が一方向に収斂したりするほど、現実の政治的場面における覇権的ブロックの形成は単純なものではない。「人民の=民主主義的要求」を摑むのが「絶壁群のあいだを歩くようなもの」というのはそうした現実を譬えたものであった。

『ヘゲモニーと社会主義戦略』以降、ラクラウはこうした一般化をもう一段階上げて図式化し、

＊33　*Ibid.*, p. 141.
＊34　*Ibid.*, p. 156.

「人民」をボナパルトたちの手から奪い返そうとした。それが彼のヘゲモニー論である。最終的に一人のボナパルティストが頂点に君臨するか否かは別として、ラクラウは、ペロン主義分析のときからすでに、ポピュリズムの傾向と力学はどの国や地域でも起こり得ることを強調していた。[*35] それは決して南米の前資本主義的社会が〝一人前の民主主義的市民社会〟に移行するまでの過渡期の話ではないのである。しかし、もしもポピュリズム的力学が〝一人前の民主主義的市民社会〟でも見られるというのであれば、それはもしかすると民主主義そのものにとって不可欠な契機なのではないか――。

ポピュリズム的力学がポピュリズムに固有のものではないことを、ラクラウは差異（differences）と等価性（equivalences）という概念を用いて図式化する。簡単な例を挙げてみよう。たとえば、こんにち世界中のいたるところで目立った動きを見せている環境保護運動は、当然ながらその目的を環境の保全に定めるが、しかしそれ以前に、乱開発をおこなう企業や自然環境に配慮しない自治体や政府など、特定の集団に対する抵抗運動という性質をより強く持っているだろう。環境保護団体は森の手入れをするスケールの大きな庭師の類いではない。ここで掲げられる〝保護〟とは〝反破壊〟を意味するのであって、その団体は、地球環境の〝敵〟となる集団との敵対的な差異化によって運動体としての集合的同一性を確保しているのである。それがアクティヴィスト集団である限りにおいて、原理的に、それは敵対性（antagonism）を軸にして自らを構成しているのだ。

環境保護団体は、むろん特定の環境保護イシューの解決のみをもって解散する場合もあるが、そうでない場合もある。たとえば、森林を伐採してコーヒー農園を乱立させたり大企業の工場を誘致したりすることが、当該地域住民にとって唯一の生活のすべてであるとしたらどうだろう。こんにち、環境問題は非常にしばしば経済的な問題、とりわけ貧困問題と切り離せないが、この場合、特定イシューの解決のためにはそれだけを目標にしていては解決の見込みが立たないことは明らかだ。したがって、残された選択肢は、あきらめて解散する以外では、他の個別的な目標、つまり当該地域の貧困撲滅を目標として掲げるアクティヴィスト団体と手を結ぶことなどが考えられるだろう。環境保護団体Aは反貧困団体Bとのアソシエーションをおこなうわけだ。さらに、これも不幸なことに非常にありふれたことだが、問題となっている農園で児童労働がまかりとおっていたり、工場で現地女性が不当な低賃金で長時間労働を強いられていたりするのであれば、労働運動団体Cや人権保護団体Dと共闘することも十分にあり得る。このあたりまで進むと、アソシエーションの連鎖は加速化され、この運動が女性の雇用差別、性差別と闘う団体Eと、さらにそこから連鎖して性的マイノリティ擁護を掲げる団体Fと接合／分節化する道も開けてくる（図Ⅰ）。

いくぶん出来過ぎの感もするモデルケースではあるが、ここで確認しておくべき基本的な事

＊35　*Ibid.*, pp. 175-176.

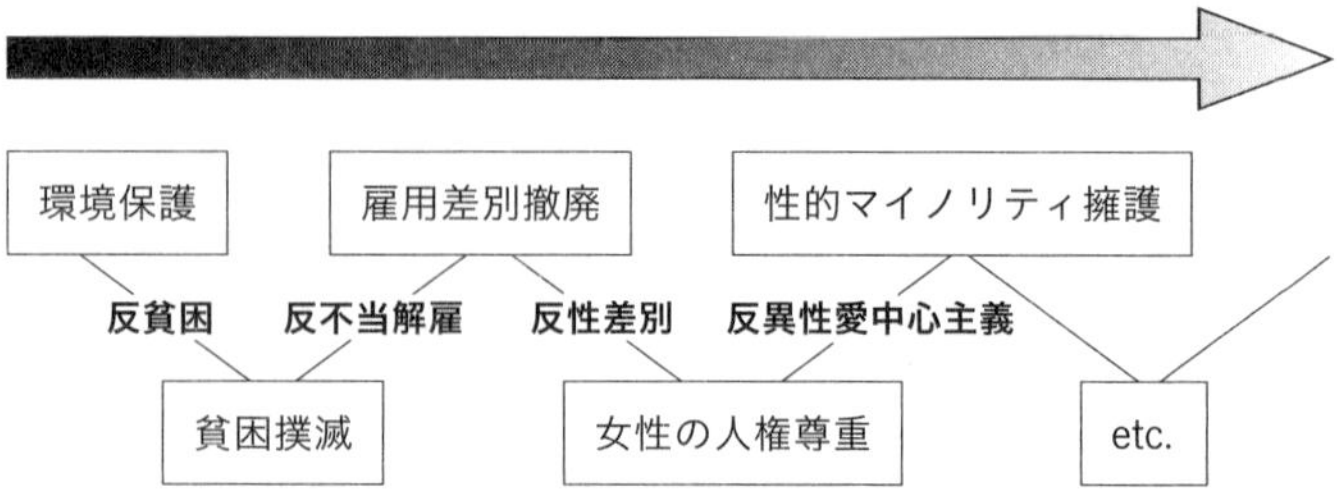

図1

柄が二つある。まず、各運動体が結びつくのは、それぞれの目標に共通する積極的・実定的な要素のゆえにではないということだ。図の両端にある環境保護運動と性的マイノリティ擁護運動は、個別的な目標を何も共有していない。それは他の隣接する諸要素にしても同じであって、むしろ、各運動体がそれぞれの個別的目標を前面に押し出して強調すればするほど、ラクラウのいう「セクト主義」に陥り、アソシエーションは難しくなるばかりか、その個別的目標の達成をかえって困難にさせるだろう。そうではなく、このモデルケースでは、各運動体は「反」（「反貧困」「反不当雇用」「反性差別」「反異性愛中心主義」等）という一点において互いを接合／分節化し合っているのである。そこでは、アソシエーションは実定性（positivity）ではなく、否定性（negativity）を媒介にした接合／分節化に依存していることになる。

いまひとつは、このアソシエーションは個別性の希薄化と一定の均衡状態をもたらすということであり、それは「否定性を媒介にした接合／分節化」というテーゼによって暗示されていたことだ。もとより各運動体は、〝敵〟からの敵対的差異化という否定的で他律的な契機によってその集合的同一性を確保していたが、そうした契機は、以前であれば〝具体的なあの目標〟と、その実現のために打倒すべき〝具体的なこの敵〟への敵対性に収斂していた。ところが、いまや〝この敵〟を倒すためには〝あの敵〟も〝それらの敵〟も並行して倒さなければならない。くだんの環境保護団体は、地元の山々や動植物を守るために、同時に貧困から労働者を、差別から女性や同性愛者を守らなければならなくなった。それは、この団体が特定の自然環境を破壊する特定の〝敵〟に敵対する特定の〝環境保護団体〟ではなくなったことを意味している。当初の個別的で孤立的な目標と〝敵〟は、より広範なものへと抽象化され、それとともに運動体そのものの個別的同一性も希薄化、抽象化される。そうした希薄化、抽象化によって得られるのは、しかし、運動の拡大と強化である。その環境保護団体はアソシエーションを通じてより大きな政治的ブロックをかたちづくり、当初の個別的イシューに対しても、より実質的で効果的な介入ができるようになるだろう。ラクラウは、運動体がこのように接合／分節化を経て横に連なるかたちで肥大化する際に作動するものを、「等価性の論理」（logic of equivalence）と呼ぶ。政治的ブロックの内部では、各運動体がそれぞれの個別性（個別の集合的同一性とその〝敵〟）を希薄化させたうえで、否定性を媒介に一定の均衡状態、等価状態にいたるのである。

たとえば乱開発に対する異議申し立ては、総開発面積の最小限化などという〝配慮〟を事業主体から首尾よく引き出せばそこで妥協が成立する公算が大きく、不当な低賃金労働に対する異議申し立ては、賃上げがなされればそこで和解が成立するだろう。しかし、その時点で、それは敵対性の表明ではなく、開発の抑制や賃上げのための妥協もしくは交渉の過程として合理化される。つまり、敵対性は合理的な〝話し合い〟へとすり替えられる。他方、その要求が他の個別的要求と接合／分節化して、より大きなブロックを形成するまでにいたるとき、妥協や交渉の過程は抜本的な変革を求める闘争へと尖鋭化され、個別的な問題〝解決〟は終わりのない抽象的な問題〝提起〟へと置き換えられることになる。ひとつの大きなアソシエーションにおいて、はじめて政治的敵対性がそのようなものとして一定の形式を与えられ、前景化される。〝眼前の敵〟と〝具体的な目標〟のために見えにくくなっていた運動体自らの否定的な起源、つまり敵対性は、より大きなブロックの形成によって、政治運動の表面へと「回帰」するのである。

> 等価性を通じて、一定の言説形式が対象のあらゆる実定性を無効にするとともに、否定性そのものに現実の実在を付与する。現実的なもの（the real）——否定性——のこの不可能性が存在形式（form of presence）を獲得したのである。[*36]

ポリツェルが切り捨てたフロイト的無意識の形式が「言い間違え」や否認であったように、「等価性の論理」による各運動体の均衡状態は、敵対性に与えられた政治的形式である。ただその形式においてのみ、運動体はその「現実の／真の実在」(real existence) を露出させ、政治的闘争の担い手となり得る。

かくして形成された政治的ブロックは、しかし、拡大された自らの運動を展開するにあたって何を掲げるのだろうか。その大義は何か。あるいは、そのブロックの「名」は何なのか。政治的大義も名もない運動は事実上、暴動と何ら変わるところがない。かといって、もはや〝このダムの建設〟や〝あの企業の搾取〟への異議申し立ては、それ自体としては抽象化と肥大化を経たブロック総体の大義にはならないだろう。むしろ、大義と名こそが、均衡状態にはあるがいまだ方向性の定まらない抽象的な政治的ブロックに同一性を与え、その覇権的な力が弱体化するのを防ぐだろう。

環境保護運動に端を発して肥大化したこの政治的ブロック総体の大義を、仮に「民主主義」としてみよう。この場合、「民主主義」が、ラカン的な「クッションの綴じ目」(point de capiton) として、各運動体の接合／分節化の連鎖を〝ピン止め〟する。あるいは、物をいっぱいに包み込んだ風呂敷の結び目と考えてもよいだろう。フロイト＝アルチュセールの言葉でいえば、それは各運動体に対して重層決定をおこない、緩やかな閉域ないしは枠組みをつくることで、ブロックがブロックとしての体をなすようにするのである (図2)。

＊36 Laclau, *Hegemony & Socialist Strategy*, pp. 128-129. ラクラウによる強調。

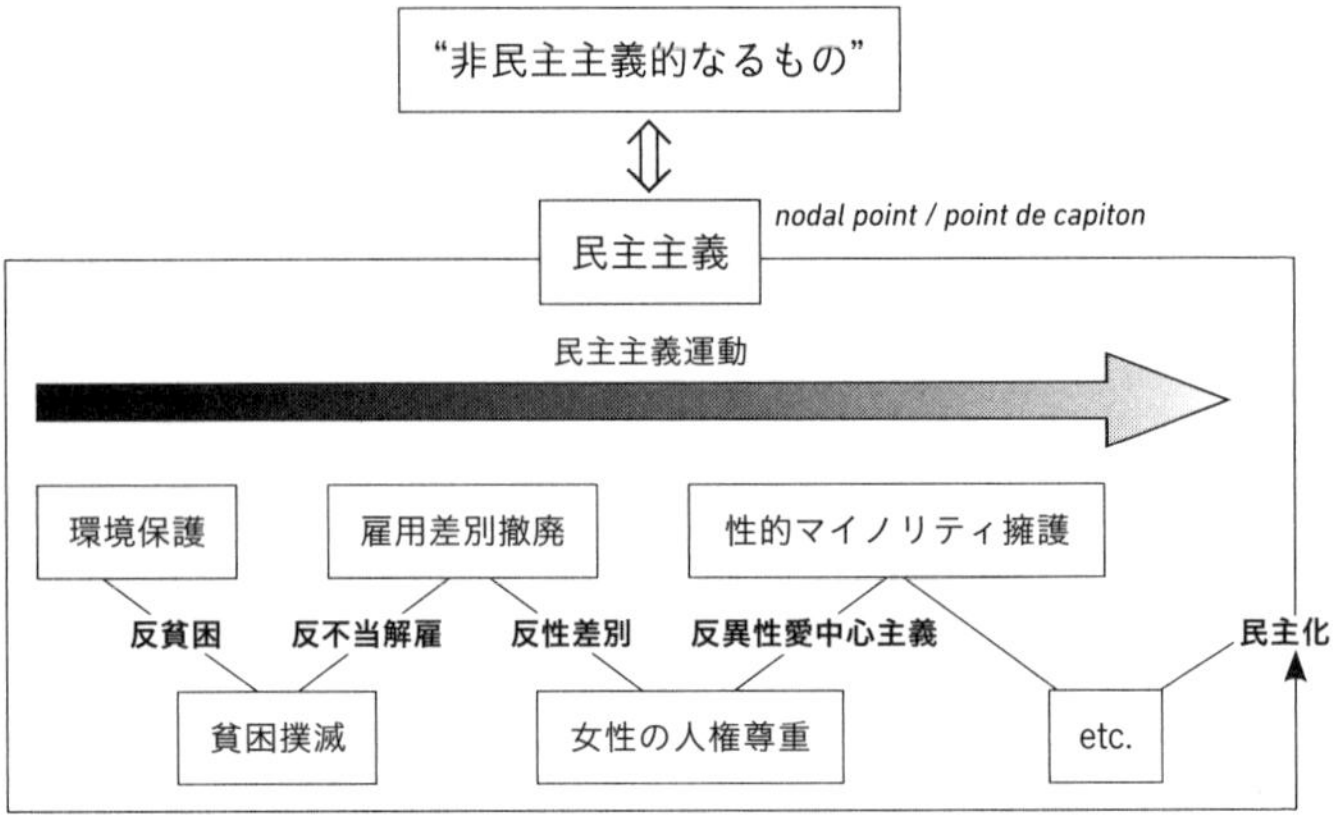

図 2

ラクラウはこの一連の流れを、ソシュールを経由したラカンの概念でもって可能な限り図式化しようとする。環境保護団体や性的マイノリティ擁護団体など、これまでわれわれが運動体と呼んできたものを、ラクラウはラカンに倣い、「空虚なシニフィアン」（empty signifier）と呼ぶが、それが「空虚」なのは、前述のとおり、それぞれの個別的内容が接合／分節化を通じて希薄化されるからだ。したがって、政治的アソシエーションは、シニフィアンが接合／分節化を繰り返してシニフィエを希薄化させ、自らを流動化、浮遊（floating）させてゆく過程として理解される。そして最終的に、このシニフィアンの連鎖を例外的なひとつのシニフィアンが閉じる。これは、もちろん、ラカンの「主人のシニフィアン」（signifiant maître）として想定されているものだが、ラクラウはしばしば自身の用語で、それを、連鎖に一定の全体性を付与する中心的な「結節点」（nodal point）などと呼ぶこともあり、このケースでは「民主主義」がそれにあたる。この段階で、接合／分節化された各シニフィアン（運動体）は、事後的に「主人」の臣民／主体として――「民主主義」の担い手として――同定されることになる。ようするに、環境保護運動家も労働運動家もゲイ・レズビアン運動のアクティヴィストも、それぞれが第一義的には民主主義の運動家として自己同定するようになるということであり、彼／彼女らの〝共通の敵〟も、ここにいたって「非‐民主主義的」とみなされるものすべてに拡大されるのである。これをフロイト的に言い換えれば、それぞれの「反」の敵対的諸要求が「民主化」要求へと圧縮され、置き換えられる、ということになるだろう。

しかし、これら精神分析の術語群は、ラクラウがフロイト＝ラカンから受けた影響の大きさを正確に示すものではない。「人民」ならびに「人民の＝民主主義的要求」を還元不能で流動的な「開放性」として位置づけ、その敵対的潜在性がアソシエーショナルな政治的ブロックという形式によって顕在化するという着想、言い換えれば、多くの研究者が分析の対象から外したり衆愚の不合理な暴発と割り切ったりしていたものを、接合と分離、分節化と再分節化を繰り返す諸階級の覇権的運動との関係性において概念化すること――ラクラウのそうした分析の方向性に確信を与えたものこそが、精神分析理論なのであった。

精神分析がそうであるように、彼のヘゲモニー論には価値志向的な側面が見当たらない。また、シニフィアン連鎖の図式にしても、それは、何がどの時点で「主人」として連鎖を閉じるかを予言するものではなく、政治的言説空間においてすでに一定のブロックが形成されつつあるとき、その内部的メカニズムを俯瞰するものであるにすぎない。ラクラウ自身が抱懐する政治的立場や信条が「民主主義」を擁護し、その深化を志向するものであるとしても、「空虚なシニフィアン」がどのような接合／分節化を経るかに関するいかなる必然性もない以上、彼の理論から「民主主義」のユートピア的未来像を見つけることなどできない。

実際、実在する人物のカリスマ[*37]によって「主人」の座が簒奪されてしまうボナパルティズムは、これまで見てきたように、ラクラウの政治的原風景にほかならなかった。むしろ、政治的にも経済的にも、そして地球環境に照らしても、破局的な危機の到来が世界規模で見え隠れしているこの時代、そして「民主主義」が、にもかかわらず、新手の植民地主義を糊塗する厚化粧として相変わらず信任を失い続けているこの時代、「民主主義」ではなく「ボナパルト」がシニフィアンの連鎖を閉じてしまう可能性のほうがはるかに高いと感じる者も少なくないだろう。

しかし、仮にひとりのプチ・ボナパルトがポピュリズム的運動を展開し始めるのだとすれば、それはそれで、潜在的な「人民の＝民主主義的要求」が別様な仕方で顕在化する予兆でもある。結局のところ、ラクラウが示そうと試みるのは、ある者には危険な兆候として、またある者にはぼんやりとした希望として映る政治空間の変容の兆しが、つねに別様でもあり得ることを理論的に根拠づけることであるといえるだろう。彼の提唱する「ラディカル・デモクラシー」というのは、したがって、〝根源的な民主主義〟を目指すものというよりは、民主主義の条件を根源的に捉えなおすものであると考えたほうがよい。

少なく見積もっても一〇億を超える人々、つまり七人に一人が一日二ドル未満の収入で暮らし、飲み水さえ十分に確保できない極度の貧困状態にあるという現実の悲惨は、もはやもっぱら水平線の遙か彼方の現象ではなくなっている。誰もが明日にでも「屑、ごみ、かす」、よくて「プレカリアート」になり得る状況のなかで、没落の一途をたどる中間層が、どの階級にも収斂されない――代表されない――「人民」へと自らを変貌させるとき、ラクラウのヘゲモニー論はこれまで以上にそのアクチュアリティを増すことになる可能性は高い。しかし、そこであらためていま一段の考察がなされなければならないのは、何がではなく、誰が、どのような種類の力量によって、政治的大変動を担うか、ということについてであるだろう。

いまや〝草の根〟にびっしりと張り付くにいたっている双方向通信・伝達媒体は、「空虚なシニフィアン」の〝空虚さ〟などはじめから織り込み済みなアイロニカルかつ愉快犯的扇動者たちを大量に生み出すとともに、政治的標語の重力をかぎりなく無効化、もしくは相対化させたうえで、戯画化されたポピュリストたちが繁茂する土壌を確実に普遍化させてきた。あり得

＊37　ペロン主義の場合、彼のカリスマと同様に、あるいはそれ以上に国民の圧倒的な吸引力を有していたのは、もちろん、妻のエビータことエバ・ペロンであった。

べき可能な大義なるものがあるとすれば、それはその担い手、象徴的人物の形象を抜きにしては、最良でも一過性の大騒動として既存の体制にとって都合のよいガス抜きにしかならないだろう。ラクラウにとってペロンは、アンチ・ヒーローであると同時にヒーローでもあったのであり、彼のあらゆる政治的想像力の源であったという事実を忘れないようにしよう。「民主主義」なる〝シニフィアン〟は、ペロンが操ったがゆえにこそ、かりそめのものではあっても「イデオロギー的貧困」をかいくぐり、「人民」をして「アルゼンチン」の臣下／主体たらしめる巨大な磁場を組成し得たのである。最終章で見るマキアヴェッリと彼に寄り添うシュトラウスは、そうした「誰が」についての思索を深め、あるいは挫折し、あるいは結論めいたものをほのめかすにとどまった哲学者たちである。

第2部　シュトラウス

第V章　末人たちの共和主義

レオ・シュトラウスと〝政治哲学〟

〝リベラル〟であることの現在

米国中央情報局（CIA）および国家安全保障局（NSA）の元局員、エドワード・スノーデンによる通信監視プログラム（PRISM）の実態暴露は、一見したところ、米国のみならず世界中に強烈な衝撃を与え、翻って草の根レヴェルでの市民とリベラル勢力との国境を超えた一大集結――たとえそれが仮想空間内での眇たるものであったとしても――を促す契機とさえなってもおかしくはないものであった。なにせ、NSAは、マイクロソフト、アップル、グーグル、フェイスブック等々の巨大ＩＴ企業群の協力を得て、途方もない数の利用者たちから電子メール、各種ファイル転送、インターネット電話といったあらゆるデータ通信の記録を監視・保持しているとされているのである。これまではハッカーやらいかがわしい商売人やらの常套手段であった〝スパイウェア〟や〝マルウェア〟の類いが、こともあろうに各人の「放っておかれる」(being left alone) 権利が最も重視されるといわれる超大国の政府主導のもと、モバイルＩＴ機器を二四時間三六五日肌身離さず携帯する数十億の一般消費者たちにはまったく不可抗力的な仕方でばら撒かれていたのだ。しかし実際には、米国ならびにその同盟諸国による日常生活への隠微な介入は、その規模の未曾有の大きさにもかかわらず、そして何より現在進行中の事態であるにもかかわらず、目下のところ大多数の人々にとっては差し当たり大きな関心事ではないようだ。

確かに、米国の偏執狂的な情報収集癖に関する悪評は何ら新しいものではないが、たとえばかつて広まった〝エシュロン〟やスパイ衛星などに関する都市伝説めいた噂話とは異なり、今回の事例には無関心とも諦念ともとれるような薄気味の悪い空気がついてまわっている。英国の高級紙ガーディアンが二〇一三年八月二日付コラムで、「かくも多くのリベラルたちはなぜＮＳＡのスパイ行為について沈黙してきたのか」という論評を戸惑いとともに掲載したのはそうした〝空気〟を背景としていた。「すでに二〇一六年大統領選の候補者名簿は、〝当選の見込みがあり〟〝穏当である〟ことを経歴上保ちたいと思っている者たちの煮え切らなさを露呈させている。（…）そこでは、民主・共和両党の候補者とも、令状なしの盗聴や電子メールの監視についてのメッセージは判で押したようにはっきりしないものだ――あるいはむしろ、明瞭に不明瞭（clearly unclear）なものである」[*1]。国家安全保障の名において進められる盗聴や内偵をめぐり、以前はブッシュ政権を激しく攻撃したヒラリー・クリントンに加え、当時の副大統領で「口やかましかったはずのジョー・バイデンも同様に沈黙している」[*2]。バイデンはむろん、二〇二〇年の大統領選で現職のドナルド・トランプを破り第四七代米国大統領となった男である。極端な政治的主張が次期大統領選にあって不利な材料となるのは理解可能であるとしても、コンピュータウイルス紛いのプログラムファイルが官民一体でかぎりなく非合法に近いかたちで散布され、いまなおそれが放置されている状況に異を唱えることが、政治家としての経歴に傷をつけるほどに穏当でないとされるのは、それ自体が何やら不穏なものを感じさせもするだろう。

政治権力を一定程度手にした後の致命的な反動は、米国の〝リベラル〟な為政者たちが戦後患い続けてきた慢性的な病のようなものである。性別による投票権否定の禁止（一九二〇）を

＊1　Ana Marie Cox, "Why have so many liberals been silent about NSA spying?," *The Guardian*, August 2, 2013（電子版）。
＊2　*Ibid.*

制度化し、社会保障法(一九三五)や公民権法(一九六四)を成立させ、そして二〇一〇年にはついに難攻不落の医療保険制度改革を不完全ながらも成し遂げた民主党政権は、連邦政府の権限強化(〝大きな政府〟)という至極単純化された右派既得権益受益者層の批判を尻目に、反差別、反貧困、反不平等といった、「反」によって特徴づけられるリベラルデモクラシーの最良の群衆動向を、部分的にではあれ具体的政策や法整備へと転換させてきた。その「反」は、米国が擬似〝帝国〟の様相を色濃くすればするほど、むしろ国民国家の枠組みを超える理念の欠片を内包するものとしてしばしば感得され得たのであり、実際、二〇〇九年のバラク・オバマ大統領就任は、普段は冷淡で辛辣な左派知識人さえをも感極まらせたほどであった。フランス革命によって触発された史上初の黒人国家、ハイチの誕生と同型の「熱狂」を、たとえばスラヴォイ・ジジェクのような人ですら熱烈に歓迎していたのである。

オバマの勝利はカントの考えた熱狂に照らして見るべきであり、駆け引きだらけで計算ずくの議会がくり広げる終わりなき多数派争いに変わりはなく、政権が移行しただけだなどとゆめ思ってはならない。ほかにも兆しはある。だからこそ、わたしのアメリカ人の親友で、幻想を抱くことなどない筋金入りの左派が、オバマ勝利の報には何時間も泣きつづけたのだ。疑いも、恐れも、妥協もわきにどけて、この熱狂の瞬間には誰もが解放され、人間の普遍的自由に参加していた。[*3]

大統領就任後のオバマが「人間の顔をしたブッシュ」になり得ることを重々承知のうえで、にもかかわらず、それは「このようなことが実現可能だと証明」[*4]する出来事に数えられた。「思いも寄らないことが、まさか起こりうるとは思わなかったことが起こった」[*5]のだ。

祝祭的熱狂が沈静化して久しい数年後の現在、ジジェクの、そして大方の予想どおり、「米国は世界の警察官ではない」[*6]という〝非＝帝国宣言〟とともに、空疎さを連想させるコスモポリタンな「人間の普遍的自由」の色はすっかり褪せて現実路線が強調されることになった。とりわけ国家の安全保障にかかわる案件を前にした場合はなおのことだ。結局のところ、PRISMとは、なるほど「世界の警察官ではない」にせよ、ほかならぬ米国民のための保安官としてであるならば、世界を股にかけた〝必要な措置〟（necessary measures）の無差別性を米国政府は是非もなく容認するということの物的証拠以上のものではない。そして、二〇〇七年以降継

＊3　スラヴォイ・ジジェク『ポストモダンの共産主義――はじめは悲劇として、二度めは笑劇として』栗原百代訳、ちくま新書、二〇一〇年、一八〇頁。
＊4　同前。文中の強調はジジェクによる。
＊5　同書、一八一頁。
＊6　二〇一三年九月一〇日の大統領テレビ演説より。九・一一全米同時多発テロの一一回目のメモリアル・デーの前日に、シリアへの軍事介入の準備を進めるオバマが、諸勢力による反戦、厭戦の声を受けて発言したものである。

続的に運用されてきたこの新手の帝国主義プログラムを、オバマは同様に是非もなく追認したのであった。その追認は、国境を超過しようとする「普遍的自由」の理念と国境を超えることのない〝自由〟とのあいだ、つまり、建国以来初のアフリカ系大統領をして「アメリカに住む人々や国民は〔情報〕収集の対象ではない」といわしめる国家の個別性とのあいだの緊張によって惹き起こされた痙攣の産物であった。そして米国が一国家である以上、当然ながら最終的には後者の優勢によって症状は収束することが運命づけられている。広島・長崎への原爆投下を許可した元クー・クラックス・クラン構成員のトルーマンに始まり、マッカーシズムの元協力者にしてベトナム戦争への道を拓いたケネディとそれを踏襲・拡大させたジョンソン、事実上二一世紀型の無差別テロ——グローバル資本連動型テロリズム——の原因となるアフガン戦争を開始させてしまったカーター。民主党出身の大統領はこれまでのところ、決定的な場面でタカ派共和党指導者に劣らぬ決定的な過ちを犯し続けてきたのである。

前任者たちの大失敗に比べればはるかに地味で無害でさえあるが、レオ・シュトラウスとその弟子たちを相手にした論争的な著作で知られるシャディア・ドゥルーリーによれば、一九九二年の大統領選で勝利したビル・クリントンもまた、米国における〝リベラル〟な政治勢力が決定的な場面で決定的に後退り、もしくは自滅することを象徴的に示した一人であった。「共和党員は民主党員をリベラルのかどで非難するが、リベラルはそうしたレッテルを堂々と受け入れるのではなく、それを否定し避けたのである。一九八八年の大統領選でジョージ・ブッシュがマイケル・デュカキスをリベラルといって非難した際、デュカキスはあたかもそれが酷く不快な告発であるかのようにそれを否定した。一九九六年の選挙では、ボブ・ドールがビル・クリントンを〝クローゼットの中のリベラル〟といって非難したが、クリントンは積極的にその告発内容を否定してまわったのだ」[*7]。〝リベラル〟であることはクローゼットの奥にしまいこんだまま人目につけてはいけないことを、クリントンは事実上認めてしまったのである。いまやそれは、無制限の「普遍的自由」の夢想に浸るあまり、限定的で地に足の着いた自由の実現のために必要な〝国益計算〟さえできない、青臭いプチブル・インテリの別名となった。今回、〝隠れリベラル〟の大統領はその汚名を返上すべく、あるいはそれを悟られぬよう、そして何より、仮想空間にはもともと完全な匿名性などありはしないと割り切る多くの聡明な国民が納得するのを確信したうえで、自由よりもカウンター・テロリズムの政策を優先させた、というわけだ。してみれば、先に名を挙げたシュトラウスのアメリカニズム批判、あるいはむしろ近代批判は、リベラル左派が繰り返してきた挫折と行き詰まりを奇妙なかたちで説明してはいなかっただろうか。シュトラウスが古典哲学を繙く過程で、ときにあからさまに、ときに行間から滲み出させるかたちで読者に伝える寡頭制の擁護や大衆社会とその構成員（粗野な者 the vulgar）の蔑視は、ドゥルーリーが訴えるように、確かに新保守主義のイデオローグを喜ば

＊7　Shadia Drury, *Leo Strauss and the American Right*, St. Martin's Press, 1997, p. 173.

せるものにも見える。他方、俗世から離れた特権的「哲学者」という、いまとなってはとてもありそうにない視点を想像的に獲得することで、彼はそうしたイデオローグを裸の王様へと変容させ、まさにリベラル左派が苦しむのと同種の痙攣を惹き起こす強い毒気を放出していたともいえるだろう。

トマス・ペインに倣って「アメリカ合衆国はマキアヴェッリ的原則とは明白に反対の仕方で建国された世界で唯一の国」[*8]、目的や大義のために手段を正当化することなく、法秩序設立時の巨大な犯罪に手を染めなかった唯一の国であるとするシュトラウスの評価は、むろん事実にもとづくものではない。亡命先でのこのリップサービスは、二つの大戦を経て超大国となった米国のリベラル左派が以後抱き続けるであろう国家への負い目に対するアイロニーを多分に含んだものとして理解されなければならないのだ。原住民の大虐殺や戦時の資金繰りの困難につけ入ってなされたナポレオンからのルイジアナ買収といった出来事群は、黎明期に起こった一度や二度だけの〝原初的暴力〟などでは決してなかった。この厳然たる事実を前に、「マキアヴェッリ的」な政治的狡知とは「反対」であるはずの建国理念は、その崇高さを保てるのか。とりわけシュトラウスが「知識人」と呼ぶ人々は、自由主義諸国の領袖が現在にいたっても抱え持つ没理念的〝リアルポリティクス〟の〝原則〟にどう応答し得るのか。そして何より、そこでの「哲学者」の位置づけはいかなるものであるのか――。あるいはシュトラウスは、ポリスの公共空間を維持するためにソクラテスを葬らねばならなかったアテナイの姿を、当時のスパルタ並みかそれ以上の軍事力を備えてしまった現代の米国に映していたのかもしれない。つまり米国は、相容れないそれら二つの国家形態を他のどこよりも尖鋭的なかたちで併存させてしまっているのだ、と。「マキアヴェッリであれば、米国は自らの偉大さを、自由と正義の原則への慣習的信奉のみならず、時折見せるそこからの逸脱にも負っていることを論じるだろう」[*9]。まるで過去の哲学者が数百年後の自著を剽窃していたとでもいわんばかりに、他人の口から自身の考えを述べさせるのはシュトラウスのいつものやり方だが、彼がここでマキアヴェッリを出汁にして米国について語ることには、少なくとも相互に連関する三つの含意があるように思われる。まず、「自由と正義の原則への習慣的信奉」というとき、シュトラウス自身はそのような「慣習的原則」に哲学的価値など見出していないということ、そして、その「原則」は「そこからの逸脱」を「時折」、しかし必然的にともなうこと、最後に、それゆえ「普遍的自由」を追究する者は、クローゼットの中にとどまらねばならないこと、これら三つである。

国家のあらゆる中枢部（政府、行政府、司法府、大学、有力市民団体等々）に配置されたカル

＊8　Leo Strauss, *Thoughts on Machiavelli*, The University of Chicago Press, 1978, p. 13.（『哲学者マキァヴェッリについて』飯島昇藏・厚見恵一郎・村田玲訳、勁草書房、二〇一一年）

＊9　*Ibid.*, p. 14.

ト的シュトラウス派（Straussian）が米国を牛耳っているとするシュトラウス恐怖症（Strauss-phobia）は、他国の人間からすれば滑稽なくらいに根強く、彼の姪で後に養子となるジェニファー・シュトラウス・クレイがニューヨーク・タイムズ紙で父親の〝隠れた政治的影響力〟について〝釈明〟しなければならないほどであった。[*10] どことなく反ユダヤ主義の匂いさえ漂うそうした陰謀論をむろん一切抜きにしても、この「世界で唯一の国」の過去と現在についてシュトラウスが見越していたジレンマが、いまなお為政者と「知識人」の言動に重くのしかかっているには違いない。以下の考察では、シュトラウスの基本的な着想のうち、特に彼の近代批判と自由概念との連関にかかわるものを中心に見てゆこう。

シュトラウス＝コジェーヴ論争

「彼はリベラルデモクラシーを信じ、擁護していた。その欠陥について不見識であったわけではないが、彼はそれが実現され得る政府の最良の形式であり、〝最後で最良の希望〟であると思っていた」[*11]。クレイのシュトラウス評は、決して父親への愛情によって歪められたものではなかろうが、ここでの「希望」なるものは、シュトラウスの保守主義的傾向を念頭に置いた場合、幾分謎めいたものである。

変化が必ずしもより良いものへの変化であるとは考えないという点で、彼は保守主義者であった。

(…) 彼はグローバルな支配を渇望するいかなる体制に対しても敵であった。人間性の根本的で高貴でさえある特性、すなわち自分自身への愛を否定することに立脚したユートピア主義——われわれの時代ではナチズムと共産主義——を、彼は嫌悪していた。[*12]

---

*10 Jenny Strauss Clay, "The Real Leo Strauss," *The New York Times*, June 07, 2003(電子版)。「最近の新聞記事は、私の父であるレオ・シュトラウスを、合衆国の外交政策をコントロールする新保守主義イデオローグの背後で糸を引く黒幕として描いている。伝えられるところによれば、彼は死後三〇年を経てなお、アメリカ国民を非情なエリート支配に曝すことを望むブッシュ政権の要人たちを墓場から操る謀略(“cabal”:明らさまに反ユダヤ主義的な含みがある)をおこなっているとのことだ。それらの記事に登場するレオ・シュトラウスなどという人物を、私は知らない」。なお、文中カッコ内の“cabal”は、カバラに〝陰謀〟や〝謀略〟の意味を持たせる俗語だが、クレイはカバラのそうした俗語への転用自体がユダヤ人に対する侮蔑を内包させていると指摘する。その指摘の正しさは、こんにち俗語として用いられる“Jew”の意味に鑑みても言を俟たないだろう。ちなみにクレイは現在、ヴァージニア大学で哲学の教鞭をとっている。

*11 *Ibid.*

*12 *Ibid.*

ユートピアはそれが献身の対象となるとき、〝来るべき〟未来の大義のために現在を犠牲にせよ、という類いの粗暴な恫喝へと容易に変貌することは、亡命知識人であるシュトラウスにはわかりきったことであった。そうした粗暴さを〝素朴さ〟と再解釈して革命を憧憬する要素など、彼の思想には微塵もなかった。だとすれば、シュトラウスにとって、いったいユートピアなき希望とは何か。希望はいまだ十分に実現なり実在なりしていない事物や様態に対して抱くものである一方、それが〝どこにもない場所〟にさえないというのであれば、なおもリベラルデモクラシーがその可能な在処であると信じてそれを擁護するとは、どういうことなのか。おそらくそこには、先に触れたリベラル左派へのそれと同種のアイロニーが認められもしようが、それがいかなる質のものであるかを知るためには、シュトラウスが近代をどのように診断していたかを吟味しなければならない。アレクサンドル・コジェーヴとの対話はそのためのよい手掛かりになってくれるだろう。

一九三〇年代初頭のパリ留学時には経済的苦境や将来への不安などを共に語り合い、互いに功成り名遂げたその後も変わらぬ親友であり続けたコジェーヴは、哲学者としてもシュトラウスが最も信頼を寄せる人物であった。一九四八年に初版が刊行された『僭主政治について』は、当初からコジェーヴによる批評とそれに対するシュトラウスの応答を掲載するものとして構想され、彼らのあいだでは「クセノフォン－シュトラウス－コジェーヴ本」[*13]などと呼ばれていた。ヘーゲルを奉じるコジェーヴとはその核心部において哲学的見解が交わることはなかったが、そうした相違が決裂ではなく対話を呼び込むものであったこともまた、それ自体として、マキアヴェッリ、ホッブス、スピノザ、そしてヘーゲルとマルクスを生んだ近代をめぐるシュトラウスの――本質的に批判的であるには違いないが――両義的な構えを示す一例であったのかもしれない。たとえば「コジェーヴは哲学者であって知識人ではない」[*14]という言葉は、シュトラウスが送る賛辞としては掛け値なしに最上級のものである。シュトラウスは、コジェーヴのヘーゲル主義にはまったく同意することができなかったものの、彼が「哲学者」であることの前には、そのような不同意は親友とのあいだに亀裂をもたらすほどの重要性を持たなかった。哲学的知というよりは「哲学すること」、そして「コジェーヴが、いかに考えるべきかを知っており、また考えることを愛している、ごくわずかの人たちのうちに含められる人物であるということ」[*15]が、シュトラウスが要求する最も重要な部分をつねに満たしていたのである。

とはいえ、「哲学者」としての信頼関係が揺るぎないものであるだけ、両者の実際の対話はいっそう率直なものであった。そうした率直さが彼らにとってはある種の特権であることを、

＊13　「シュトラウス＝コジェーヴ往復書簡」、レオ・シュトラウス『僭主政治について（下）』石崎嘉彦・飯島昇藏・金田耕一訳、現代思潮新社、二〇〇〇年。コジェーヴによる批評文とシュトラウスの応答文の出版に関する経緯は、同書一九〇－二〇六頁あたりを参照。
＊14　同書、一〇〇－一〇一頁。
＊15　同書、一〇〇頁。

おそらくコジェーヴも承知していただろう。クセノフォンの『ヒエロン』解釈からシュトラウスが導き出した「哲学者」像に対して、コジェーヴは何ら奇を衒うことなしに、あからさまにヘーゲル主義的な異議を申し立てた。プラトン同様、シュトラウスは「哲学すること」がつまるところ狂気以外のものではなく、[*16]「哲学者」ではない者たちには有害でさえあるというが、これに抗してコジェーヴが提示するのは、案の定、「承認」という問題設定であった。もしもわれわれが〝狂気〟なるものをロマン化するほど素朴でないならば、「哲学者」の狂気と狂人の狂気とを分けるものは何であると説明され得るのか。

シュトラウスは、孤立した哲学者の無関心（「エゴイズム」）と自尊心を正当化（説明）するために、哲学者は、かれが見下している「哲学的素養のない者」よりもずっと多くのこと——そして、違ったこと——を知っているという事実をもちだしているが、この点でかれはクセノフォン（および一般に古典的伝統）にしたがっているように思われる。しかし、自分はガラスでできていると信じ込んでいる狂人、あるいは、自分を父なる神だとかナポレオンであると考えている狂人もまた、自分はほかの人間が知らないことを知っていると信じている。そして、かれの知識は狂気であるとわたくしたちが言うことができるのは、かれがその知識を（ついでに言っておけば、それは主観的には「明証的」である）真理であると考えている完全に唯一の人間であるという事実、またほかの狂人たちさえもそれを信じることを拒んでいるという事実ゆえにである。だから同じように、わたくしたちの理念が他者（あるいは少なくともひとりの他者）と共有されている、あるいは、議論するに値するもの（その理由が、かれらはそれを誤謬であると考えているというものであったとしても）として他者に受けいれられているのを知ることによってこそ、わたくしたちは自分が（たとえ真理の領域にいるという確信をもてないまでも）狂気の領域にいるのではないと確信できるのである。[*17]

ソクラテスがそうしたように、哲学者は市場に出なければならないとコジェーヴはいう。隠遁生活は「哲学すること」の狂気に何ら哲学的根拠を与えない。賢者にして詩人であるシモニデスも、僭主ヒエロンとの対話をしたではないか。確かに、シモニデスとヒエロンには誰にでも

*16 哲学に対するこの考えは、シュトラウスの〝秘教主義〟を貫いており、むろん以後の作品にも頻繁に見られる。「プラトンは哲学を狂気になぞらえる。冷静さや節度とは正反対のものだ。思想は節度あるものではなく、恥知らずではないにせよ、恐れを知らぬものでなければならない、と」（Leo Strauss, *What is Political Philosophy? : and other studies*, The University of Chicago Press, 1988, p. 32〔『政治哲学とは何であるか？とその他の諸研究』飯島昇藏ほか訳、早稲田大学出版部、二〇一四年〕）。

*17 アレクサンドル・コジェーヴ「僭主政治と知恵」『僭主政治について（下）』四一－四二頁。文中の強調はコジェーヴによる。

わかる違いがある。後者は為政者として万民から承認されることを望むが、前者は「哲学者」として「哲学的素養のある者」のみからの承認を求める。後者は万民から愛され畏怖されることを望むが、前者はそれらを必要としていない。むしろ、それらを必要としないことが「哲学者」をしてそのようなものたらしめる。しかし、承認を与える他者の数は本質的な違いではなく、受け取るものの何たるかも問題にはならない。いずれにせよシモニデスも他者から何ものかを受け取りたいと欲することに変わりはないのであって、この場合、それは自身の哲学的完成に向けられる「少なくとも一人の他者」からの「賛美」である。かくして、愛であれ畏怖であれ賛美であれ、受け取るものの如何にかかわらず、「哲学者」もやはり承認一般を求めている、とコジェーヴは主張する。「原理的に言って、政治家と哲学者とのあいだにはいかなる区別もない。双方とも承認をもとめており、双方ともそれに値するものであろうとして行動するからである[*18]」。

それが潜在的、顕在的な敵対性を孕むものとして想定されていようがいまいが、「承認」をめぐる間主観性へのコジェーヴの「確信」はいささか楽観的に過ぎるように思われるかもしれない。実際、「理念が他者（あるいは少なくともひとりの他者）と共有されている」とする間主観的「確信」こそが、しばしば狂人を特徴づける当のものであることは、難解な精神分析の諸理論——狂人の欲望こそが、すぐれて他者の、必ずしも経験的ではない他者の欲望そのものである——を持ち出すまでもなく想像がつくだろう。自分がナポレオンだと信じ込んでいる狂人は、万人が同様にそう思っている、もしくはそう思うはずだと信じ込んでいる点にこそ、その狂気が最も顕著に認められる。「承認」は哲学者と狂人を分けたりはしないのであり、そもそも「正常人の〝主観的確信〟と精神異常者の〝主観的確信〟とは区別できない」[*19]がゆえに、シュトラウスは哲学を狂気と見なすこともできた。プラトンが正常人であったと同時に精神異常者でもあったと考えることは、「哲学者」としてのプラトンの名誉を貶めることにはまったくならない。シュトラウスによれば、「哲学者」に間主観的領域が求められるとすれば、それはコジェーヴが考えたような「哲学的完成」に直截的にかかわる理由からではなく、哲学の外部的な存立条件にかかわる理由からである。「哲学者」が「哲学的素養」のある極々少数の者たち以外で間主観的領域を必要とする相手がいるとすれば、それはヒエロンを前にするシモニデスのように、賢者の智慧、「哲学者」の希釈化された狂気にそっと耳を傾けることのできる為政者である。そしてその典型こそ、彼がその狂気に満ちた哲学探究の営為を外部に漏洩しないかぎりにおいて、つまり、哲学者が彼の狂気を内にとどめているかぎりにおいて、彼を庇護さえする僭主だったのである。哲学者が彼の哲学探究の核心部をクローゼットの奥に仕舞い込

＊18　同書、四七頁。文中の強調はコジェーヴによる。
＊19　レオ・シュトラウス「クセノフォン『ヒエロン』についての再説」『僭主政治について（下）』一一八頁。

んでいることを条件に、僭主はあやしげなプログラムファイルでもって彼の身辺調査や内偵をおこなうことを断念する。

シュトラウスによるコジェーヴへの再反論は、むしろコジェーヴが「承認」を前提とすること自体を問題視するものであった。讃えられるのは結構なことではあるが、しかしそのようなものは第一義的なものではまったくない、とシュトラウスはいう。「すぐに思い浮かぶことだが、自分の企てをうまく遂行して快楽を得ている孤独な金庫破りもいるのであり、しかもかれは自分が受け取る（富とかその才能に対する賞賛というような）外的な報酬のことなど考えもしないでそれをするのである」[20]。ここでシュトラウスが法を侵犯する者を引き合いに出しているのは象徴的である。この「孤独な」違法者の「快楽」は、通常のそれとは異なり、おそらくは他者がもたらすあらゆる種類の心地よさを突き抜けた境位で生じる、無謀で自己破滅的なものであるだろう。それはラカンであれば「倫理」と呼び、仏教者であれば「三昧」などと呼んだものとも近いかもしれない。いずれにせよ、それは「承認」や「報酬」によって前提される他者との合法的な関係性から切断された、文字どおりの狂気の沙汰である。「哲学者」も形式上同型の狂気に憑かれているため、彼が「《主人》の道徳を受けいれることなどどうやってもありえないし、名誉が最高の人間類型が目指す至上の目標であるなどと主張することもありえない」[21]。僭主は賢者の道徳ではなく狂気を、「承認」するのでも「賞賛」するのでもなく恐れるのであり、他方、賢者もしくは「哲学者」は、僭主のそうした恐れを、自身の狂気を維持するために警戒しなければならない。シュトラウスが古典読解から引き出す政治的教訓は、おおよそこのようなものであった。

コジェーヴが議論の俎上に載せた「承認」の問題は、当然ながら「哲学者」の動機に関する些末な話にとどまるものではない。型どおりのヘーゲル主義的図式に則り、「承認」をめぐる「闘争」と諸矛盾の「止揚」の話題が、シュトラウスによるクセノフォン読解への批判的応答として引き続き持ち出されることになる。

> ヘーゲルにとって、「対話」という古典的「弁証」の成果、つまり、純粋に言葉の上での「議論」においてかちとった勝利は、真理の十分な規準とはならない。言いかえれば、言説上の「弁証」それ自体は、かれによれば、問題の決定的な解決（つまり、将来のどの時代においても変わることのない解決）を導くことはできないのであるが、それというのも、もしも話すだけに終わったら、けっして論駁者あるいは、矛盾それ自体を、決定的に「排除」することはできない、という単純な理由からである。というのも、誰かを論駁することとその人を納得させることは、必ずしも同じではないからである。（…）「矛盾」あるい

＊20　同書、一一〇頁。
＊21　同書、一〇八頁。

は「論争」が「弁証法的に廃棄される」（…）のは、それらが活動的な社会的生命の歴史的な地平のうえで働いているそのかぎりにおいてであって、そこでは《自然》にたいする《労働》という行為と（人間にたいする）《闘争》という行為によって議論がおこなわれているのである。たしかに、この行動的な「対話」から《真理》が生まれるのは、この歴史的弁証法がひとたび完成したときのみ、つまり普遍同質的《国家》において、またそれをつうじて、ひとたび歴史がその終局 terme final にまで到達したそのときにであるが、それはこの《国家》が市民の「満足」を含んでおり、あらゆる否定的行動の可能性、それゆえあらゆる否定性一般の可能性を排除している、そしてそれゆえ、すでに確立されたことをめぐるいかなる新しい「議論」の可能性をも排除しているからである。[*22]

傍点が付されたコジェーヴの強調ひとつひとつが、シュトラウスにはまったく気に入らないものであったろう。「哲学者」は言葉の上でのみ活動するが、それで十分である。彼は勝利も決定的な解決なども目指していない。もとより、そんなものは存在しない。話すだけで何ら問題はないが、ただし彼の対話者はきわめて少数の「哲学的素養のある者」たちのみであり、彼らもまた、勝利も決定的解決も目指してなどいない。論駁は対話者を納得させるためにするのではなく、もっぱら自分自身を納得させるため、あるいは自分自身の「哲学すること」がより狂気の深みへと下降してゆくためにのみなされる。そこには、少なくともヘーゲル主義者たちが考えるような社会も歴史もなく、それらに直接介入するための行為もなく、したがって止揚の契機もない。否定や敵対性にもとづく行為は、哲学的完成とは何の関係もない。それらはもっぱら為政者の領分に属するものであって、その領分それ自体には哲学的価値などない――。なかでもシュトラウスが最もぞっとしたのは、「普遍同質的《国家》」なる観念であっただろう。歴史の終局にそのような《国家》が成立するということは、シュトラウスにはどのような事態であると映じたのだろうか。

哲学の自由と近代

コジェーヴへの応答である「クセノフォン『ヒエロン』についての再説」が発表される二年ほど前、英語版『僭主政治について』の出版から四年後の一九五二年に上梓された『迫害と著述の技法』には、古代から中世への移行期に起こったとシュトラウスが理解しているある頽落の始まり、つまり厳密にシュトラウス的な意味での近代的頽落の始まりとともに、そうした頽落の直中で、「哲学者」が「哲学すること」の自由がどのように確保され得るのかを典型的に示した一節がある。

＊22 コジェーヴ「僭主政治と知恵」六四－六五頁。文中の強調はコジェーヴによる。

ユダヤ教とイスラム教における哲学の不安定な地位というのは、あらゆる意味において、哲学にとっては不幸なことではなかった。キリスト教世界での哲学に対する公式の了解によって、哲学は教会の監視下に置かれたのであった。イスラム－ユダヤ世界における哲学の不安定な地位は、その私的特質とともに監視からの内的自由を保障したのだ。イスラム－ユダヤ世界における哲学の地位は、この観点からすると、古代ギリシャにおけるその地位に似ていた。ギリシャの都市はしばしば全体主義社会であったなどといわれる。そこでは統制された道徳群、神聖なる崇拝、悲劇と喜劇が擁されていた。そこには、しかし、本質的に私的で政治－横断的（trans-political）なひとつの活動があったのである。哲学だ。権威を持たない者、私的な者によって哲学の学派さえもが設立された。イスラムやユダヤの哲学者たちは、こうした状況と彼ら自身の時代情勢とのあいだの類似性を認識していた。アリストテレスに関するいくつかの指摘を精緻化させつつ、彼らは哲学的生活を隠遁者の生活に比肩させたのである。[*23]

広く知られるように、シュトラウスの古典哲学解釈、とりわけプラトンとアリストテレスの解釈は、中世イスラムの哲学者、アル・ファーラービーやイブン・ルシュド（アヴェロエス）、そして同じく中世ユダヤ教世界における最大級の哲学者、ラビ・モーシェ・ベン＝マイモーン（マイモニデス）から大きな影響を受けている。しかもその影響は、おそらくは古典哲学の解釈に関することだけではなかった。厳密な一神教の世界で哲学探究を続けるということ、とりわけプラトン哲学を受け継ぎつつ合理主義的宇宙論を展開することは、正統派からの厳しい非難や、最悪の場合は身の危険と隣り合わせであり、アヴェロエスのようにすでに名声を博していても晩年を国外追放（ムワッヒド朝）の憂き目とともに過ごさなければならないことも十分にあり得た。シュトラウスは、しかし、彼ら卓越した〝異教徒〟たちが「不安定な地位」のなかで探究を続けることのなかに、国家と「哲学者」との関係性そのものにかかわるきわめて重要な要素を看取していた。その不安定性は、ただ不可避であるだけではない。哲学探究が真理の探究として、「社会がそこにおいて息づく要素を溶解させ、それゆえ社会を危険にさらしてしまう試み」[*24]である以上、不可欠なものでもあるとシュトラウスは考えていた。というのも、哲学的真理の領域が恒常的かつ〝安定的に〟社会に浸透しているなどということは、社会の窒息と自死を意味しており、したがって、「哲学者」自身が「そこにおいて息づく」空間もまた同時に消滅してしまうであろうからだ。中世スコラ学の最盛期である一三世紀のヨーロッパで、キリスト教が哲学を吸収して「監視下」に置いてしまった——その監視は、フーコーがこの時期のヨーロッパでしか起こり得なかった特異な統治形態と考えたものの一部をなしていただろ

＊23　Leo Strauss, *Persecuton and the Art of Writing*, The University of Chicago Press, 1988, p. 21.
＊24　Strauss, *What is Political Philosophy?*, p. 221.

う[*25]――のとは対照的に、いっさいの異質な教義に対して非妥協的な〝異教〟の世界では事情が異なっていた。そこでは、「哲学者」はその探究の有害さゆえに迫害の危機と隣り合わせとなり、それゆえに公的世界から身を潜めねばならなかったが、しかしまさにその潜伏によって自由な空間を確保し得た。コジェーヴが議論の俎上に載せた、哲学的狂気と狂人のそれとの分割は、その者が自身の狂気を白日の下に曝すか否かにかかわっている。公開された狂気こそが狂人のそれとして危険視され、迫害の対象となるのである。したがって、「なぜリベラルは沈黙するのか」という冒頭のガーディアン紙上での問いに、シュトラウスであればこう答えたであろう――「沈黙することが真のリベラルたる哲学者の責務だからである」。シュトラウスの解釈では、クローゼットの中の自由こそが、「哲学者」の自由であった。

これに対して、コジェーヴの「普遍同質的《国家》」は、下賤な者であろうと高貴な者であろうと、あらゆる階級的差異を消滅させ、したがって際立った差異を放つ異能の者のための特別な空間をも消滅させる。それが人類史の「終局」であってみれば、例外は残されていない。その《国家》では、「《普遍的》な《僭主》」に相当する国家元首が「最高の哲学的権威として、唯一の真なる哲学の最高の解釈家として、唯一の真なる哲学の権威を有する法の執行者兼死刑執行人として登場する。それゆえ、かれは、哲学を迫害しているのではなく、偽の哲学を迫害しているのであると主張する[*26]」。もはや「哲学者」の逃亡先、潜伏先はどこにもない。「終局」はすでに訪れて普遍化されているからだ。哲学探究はすでに消尽している。それがいまだあるように見えるとすれば、それは「終局」の後の無意味な残滓であるか偽物である。ことほどさように、コジェーヴのポスト歴史的世界は、シュトラウスが古代ギリシャや中世イスラム、ユダヤ世界に理想化した哲学的隠遁者の自由の状態とは対極にある、まったきディストピアであり、「そこにおいて人間の人間性の根拠が衰亡してゆくところ、言いかえれば、人間がその人間性を喪失するところであるということになる。それは、ニーチェの〝最後の人間（末人）〟の国家である」[*27]。

「哲学すること」が最高の愉楽であり、最高の愉楽こそが最高の善であると見なすシュトラウスにとって、アメリカ的〝動物性への回帰〟も日本的〝記号論的スノビズム〟も、ともに近代の頽落によって誤って導かれた誤ったシナリオ以外のものではなく、何よりそれは実現不可能であるとシュトラウスは考えていた。カール・シュミット——一九三二年のパリ留学時にはシュトラウスのためにロックフェラー財団宛ての推薦状を書き、シュトラウスの人生の前半に転機をもたらした人物だ——の定式化に則って、シュトラウスは、主権者の決断によって行使

＊25 ミシェル・フーコー『安全・領土・人口　コレージュ・ド・フランス講義一九七七－一九七八年度』高桑和巳訳、筑摩新書、二〇〇七年。
＊26 シュトラウス「クセノフォン『ヒエロン』についての再説」一四八－一四九頁。
＊27 同書、一四三－一四四頁。

される物理的強制力を欠く国家は存在せず、したがってそうした強制力をもって鎮圧されねばならない外敵や国内の反国家的、反社会的分子、あるいは他の攪乱因子が不在な状態もまたあり得ないことを当然視していたため、「普遍同質的《国家》」なる国家は、彼にしてみれば語義からして矛盾した概念であった。この語義矛盾を回避するために、たとえば「哲学者」のうちのある者は「知識人」へと成り下がり、異議申し立てと称する批判的素振りをこれ見よがしにひけらかしもするであろうが、それは最良の場合でもテクノクラートを助ける政策提言のひとつにしかなり得ない、とシュトラウスであれば軽くあしらうだろう。リベラル左派「知識人」は、行政機関によって喧伝されるテロリズム、セキュリティシステムの攪乱、財政破綻等々といった内外の〝敵〟に関する脅し文句にはどうしようもなく受動的であって、〝社会の良心〟の面目上、不満、文句、留保条件などをちらつかせながらも最終的には恭順の意を表する。ニーチェの言を借りれば、ようするに、「やはり喧嘩はするものの、かれらはじきに和解する、――さもないと胃腸を害するおそれがある[*28]」といった具合である。

他方、コジェーヴのような「哲学者」の思惟がかくも大仰な目的論へと収斂してしまう思想史的からくりを、シュトラウスが早い時期から明敏に意識していたことも忘れるべきではないだろう。それは、ホッブスとヘーゲルという二人の思想家によって、すなわち、体系的に語られる近代政治哲学の始点と終点によって集約的に表現される思想史的連関であり、かつてシュミットを大いに感心させもした彼のホッブス研究に詳述されている洞察である。ヘーゲルの歴史哲学を分解すればホッブスというひとつの素因数に突き当たる。ホッブスがもっぱら死の恐怖によって背中を乱暴に押される相互に孤立した万人（omnes）なるものを措定し、そうした万人のうえに成立する政治社会を仮構した最初の人物であることは、政治学もしくは政治哲学を論じる者にとってほぼ与件のごときものとなっている。なるほど、彼の「自然状態」は抽象的で実際にはありそうにない仮構にすぎないが、それは善も徳も卓越性も含めた他の一切の抽象的価値をも寄せ付けぬほどに堅牢な仮構であり、その抽象度の高さゆえに、ありのままの現実よりもはるかに現実味のあるものであると、少なくともヘーゲルには理解された。その後の思想家たちが隷属的な道徳意識からの離脱と「ひとえに人間意志のなかにのみその根拠を有する」[*29]秩序を構想し得たのも、堅牢なホッブスの体系によって政治学が「一つのア・プリオリな学問」[*30]にまで高められたためである。しかし、シュトラウスの解釈によれば、ホッブスの業績はそれだけではなかった。ホッブスはまた、ただ「自然状態」の闘争から出発した政治社会の

*28　フリードリヒ・ニーチェ『ツァラトゥストラはこう言った（上）』氷上英廣訳、岩波文庫、一九八二年、二四頁。
*29　レオ・シュトラウス『ホッブズの政治学』添谷育志・谷喬夫・飯島昇藏訳、みすず書房、二〇〇三年、一三四頁。同邦訳ではHobbesを「ホッブズ」としているが、本稿では統一的に「ホッブス」と表記した。
*30　同書、一三三頁。

みをして歴史の具現化たらしめるという着想の端緒となった人物でもある、とシュトラウスは考えたのだ。そしてここにこそ、ヘーゲルの歴史哲学においてホッブスの位置がよりいっそう重要となってくる理由がある。「ホッブスにとって歴史は、最後には余計なものとなる。なぜならかれにとっては政治学が自ら歴史的なものになるからである」[*31]。つまり、ホッブスによって歴史は外在的なものではなくなったのである。敵対性に貫かれた政治社会の外部に歴史はない。政治社会こそが人間の住処であり、ありもしないその外部にはいかなる種類の時間も流れることはない。ホッブスが告知した政治社会のこのアプリオリティは、ヘーゲルによって、そして彼に倣うコジェーヴによって理論的に踏襲されたのだ、とシュトラウスは主張する。

かくしてシュトラウスは、コジェーヴの歴史哲学がホッブスを嚆矢として代々引き継がれてきた政治哲学の仮構をほぼ無自覚なまま基礎にしており、なかんずくそれが近代ブルジョア市民社会における自由主義、もしくは自由主義国家のイメージを前提としていることを執拗に問題視するのであった。より正確には、自由主義国家が多文化主義や宗教的寛容等々を公式の見解として、つまり「公教」として称揚するのはそれ自体としては問題なく、また国民がそうした「公教」になにがしかの希望なり歴史的意義なりを見出したりするのは好ましくさえあるとシュトラウスは思っていたが、「哲学者」がそこに哲学的真理の類いを見出そうとすることには、彼は完全に辟易としていたのである。というのも、仮構はあくまで仮構、洞窟の壁に映った影でしかないからだ。ヘーゲルはその影に哲学的、倫理的意義や《目的／終局》を付与したが、仮構のうえにどれほど万言を尽くした哲学的意味付けがなされようと、シュトラウスにはそれが「哲学者」が探究すべき対象であるとは思われなかった。ゼロに何を掛け合わせてもゼロにしかならない、というわけだ。

シュトラウスは確かにハイデガーやシュミットといった先達と反近代主義的構えを共有していたが、彼らがいずれも近代以降の自由主義的諸前提を、知らぬ間にそれとなく真に受けてしまったことに強い不満を抱いていた。たとえばシュトラウスはハイデガーの哲学的卓越性を十分に認めつつも、彼が自身の哲学探究に「公教」にも〝適用可能な〟ある種の「教え」を忍び込ませてしまったと批判する。

私が我慢ならなかったのは彼の道徳的教えでした。というのも、彼の責任放棄声明（disclaimer）にもかかわらず、彼にはそのような教えがあったからです。鍵となる語は〝覚悟性〟ですが、覚悟性の適切な対象が何であるのかに関するいかなる示唆もありません。ハイデガーの覚悟性からいわゆる一九三三年のナチスへの賛同へと導くような一直線があるのです。[*32]

＊31　同前。

「道徳的教え」は哲学の領分ではない。なぜなら、繰り返せば、哲学は本来的に反道徳であり狂気だからである。イデアの超越性を自然（ピュシス）から分離した廉でプラトン主義を頽落（Verfallen）の元凶としたまではよいとして、ハイデガーは哲学探究までをも現存在としての人間一般のうちに閉じ込めてしまった——ちょうどホッブスが政治社会のアプリオリティにすべてを閉じ込めてしまったように。さらにシュトラウスは恩人シュミットにも同様の近代主義的〝陥穽〟を嗅ぎとっていた。ドイツ時代の友人カール・レーヴィットがシュミットのニヒリスティックな決断主義批判をおこなうよりも四半世紀以上前に、すでにシュトラウスは「戦争の実際の可能性に目を向けたすべての決断に敬意を払い、寛容にふるまう」シュミットが、「プラス－マイナスが逆になった自由主義*33」の枠組みを自明視していることを指摘していた。すなわち、自由主義国家における多文化主義や宗教的寛容が、対立の内容や理由そのものについてはきわめて寛容で〝価値自由〟なシュミットの友敵理論と表裏一体であることを、彼は見抜いていたのである。

　宗教的信も哲学的真理も、国家、市民社会、そして／あるいは歴史の内部にしかない。近代においては、ありとあらゆることが、つまり超越性を思考し志向することさえもが、それらの内部で相対化される。この内部化と相対化、そして相対性の全体化こそが近代のニヒリズムへと続く「一直線」であり、おそらくはニーチェを除くすべての卓越した近代の「哲学者」たちが多かれ少なかれその線に則っているとシュトラウスは考えたのであった。

末人共和主義

シュトラウスは、ソクラテスに死罪の判決を下したアテナイをプラトンが実は憎んではいなかったという。その理由は、若かりし日にソフィストと見紛うほど散々哲学的知を吹聴してまわったにもかかわらず、ソクラテスは七〇歳という高齢にいたるまで「哲学すること」を許されていたからだ、というものである。[*34] このようなことは、スパルタではなくアテナイだから可能であったとシュトラウスはいう。こんにち自由を原理として掲げる国家についてのシュトラウスの評価も、ここから類推することができるだろう。自由主義国家では、中世のキリスト教国家とは異なり、一度は哲学を吸収して普遍化されたキリスト教は少なくとも建前上――つまり「公教」のうえでは――他の宗教もろともふたたび相対化されている。また、中世のイスラ

*32 Leo Strauss, "A Giving of Accounts: Jacob Klein and Leo Strauss," *Jewish Philosophy and the Crisis of Modernity*, p. 461.

*33 レオ・シュトラウス「カール・シュミット『政治的なものの概念』への注解」、ハインリッヒ・マイアー『シュミットとシュトラウス』栗原隆・滝口清栄訳、法政大学出版局、一九九三年、一五五－一五六頁。文中の強調はシュトラウスによる。

*34 シュトラウス「クセノフォン『ヒエロン』についての再説」一三八－一三九頁。

ム国家とは異なり、「哲学者」はもはや国外に潜伏する必要もなくなった。なるほどそこでは、小市民的〝リベラル〟を忌避する風潮もあり得ようが、「哲学者」が人知れず狂気を育むことのできる環境さえ整っているのであれば、それでよいのではないか——。シュトラウスにとって、〝政治哲学〟なるものは「哲学者」のそうした身勝手な〝環境〟を整え、もしくは保全するために提供される、「公教」の素地であり、その一部であった。

政治的共同体の法廷を前にして哲学を正当化するということは、政治的共同体という観点から哲学を正当化するということ、すなわち、哲学者たち自身に訴えかけるのではなく、市民たち自身に訴えかけるという性質の議論でもって正当化することである。哲学が許容可能で、好ましく必要でさえあることを市民たちに示すべく、哲学者はオイディプスの事例に倣い、一般的に一致をみている諸前提、あるいは一般的に受け入れられている諸々の意見から始めなければならない。つまり彼は、理性より感情に訴えて（ad hominem）〝弁証的に〟論じなければならないのだ。この観点からすれば、〝政治哲学〟という表現における〝政治的〟という形容詞は、ひとつの主題というよりは処方（treatment）に関する事柄である。つまり、この観点からすれば、〝政治哲学〟は主に政治の哲学的処方ではなく、哲学の政治的もしくは一般向け処方であり、あるいは哲学の政治的導入／入門（introduction）なのである。[*35]

薄められた毒は社会の良薬となる。その良薬は、そこから本物の毒素を抽出しようとする「哲学的素養のある者」には格好の「導入／入門」にもなるが、それは第一義的には、倫理や道徳性をそれとなく示唆することで「哲学者」が「市民」にも受け入れ可能であること、彼が危険な狂人ではないことを示すための「政治的もしくは一般向け処方」である。かたや為政者、知識人、そして国民／市民は、「哲学者」のありがたい方便を有力な手掛かりとして共同体の諸規範を創出し、それらを参照点としながら日々互いを「承認」し合う。かくして〝政治哲学〟は、政治社会がニヒリスティックな末人の共同体となることを防止する、いわば抗痴呆薬のようなものとなる。

現実の場面では、しかし、その抗痴呆薬は薬効があまりに低いか、逆にあまりに高いかのいずれかであって、おそらくはこれからもそうであるだろう。一七世紀のオランダ海上帝国でスピノザが提示したとされる「処方」は、ヴァイマール体制の崩壊を政治的原体験とするシュトラウスの目には、自由主義が相対主義として機能してしまうという点で効き目が薄く、その度を越した自由主義的寛容が、同じく度を越した宗教的、人種的、文化的不寛容を制御できないという点で効きすぎであると映った。彼がスピノザの政治論を「最も危険な遊戯[*36]」と評したのはそうした理由からである。ではシュトラウス自身はどうなのか。たとえばシュトラウスは、

＊35　Strauss, *What is Political Philosophy?*, p. 93.

〝真のリベラル〟としての「哲学者」は「実際的には、共和主義者[*37]」であるという。つまり彼自身は、共和主義をもって「一般的処方」とすることを認めている。自らが属する共同体への参画を通じて各人が徳を高めてゆくという共和主義的方便は、誰もが心地よく社会の紐帯を確認し合うことに貢献するだろう。それはまた、自由主義国家にふさわしく融通無碍に様々な亜種へと変形可能であるため、「哲学者」にとっては安易な部類の〝創薬〟でありながら、家族、学校、職場、地域社会から国家にいたるまでの広範なレヴェルで教育的効果を期待することもできよう。しかし、その政治的効果はといえば、それはやはり過小か過大である。

公共空間における徳とその涵養などという題目は、未曾有の災害や戦争といった〝例外状態〟以外では、暑苦しいうえに何よりこのうえなく陳腐な絵空事として普段は歯牙にもかけられず、またそうであるがゆえに「知識人」は社会に〝例外的〟に深刻な問題を探り当てようと躍起になり、為政者はときとして戦争を望みさえする。ロックのような人の期待を裏切り、私的悪徳はついに公共善へと繋がらないという状況のなかで、衰弱の一途をたどる公共性――ここでは最終的に国家の枠組みが公共性のそれと同一視される――を再確認しようというわけだ。その一方で、それが過剰であるのは、ほかならぬわれわれの時代、共和主義的方便こそが、非常に隠微な仕方で社会の紐帯を粛々と瓦解させるべく機能しているという逆説的な事実によって如実に示されるだろう。いつのまにかわれわれが背負わされたことになっている未来への負債は、〝われわれの子や孫たち〟のために公共性の再構築が〝急務〟であるとする諸言説の量産を促す。いまやその効果は絶大であって、国家の財政破綻や安全保障体制の脆弱化、あるいは各分野における国際競争力の低下等々への危惧が茶の間ですら話題となり、国家による私的領域の圧迫を相当程度に容認する雰囲気が醸成される。ヨーゼフ・シュンペーターが晩年になって予測した中間層の没落と貧困化がすでにそこかしこで顕在化しているにもかかわらず、〝危機に瀕した公共性〟をめぐる強烈な強迫観念は、個々の悲惨な現実よりも貿易収支のほうに、「放っておかれる権利」よりも〝セキュリティ〟のほうに優先権を与えることを当然視させるほどの勢いである。

それは、苦しみや負担を分有せんとする人々によって支えられる逆立ちした共和主義の体制、市田良彦らが「債務共和国」[*38]と呼んだものでもあるだろう。ホッブス的死の恐怖は、不在の債権者に対する債務不履行の恐怖によって置き換えられる。もとより共同体は内外に想定される〝敵〟とその否定的契機を梃子に形成されるが、この新手の〝内なる敵／否定性〟は、その完璧な不可視性と抽象性によって存外に堅固な負の共同体を仮構する。コジェーヴのポスト歴史

＊36　レオ・シュトラウス「〝スピノザの宗教批判〟への序言」『リベラリズム　古代と近代』石崎嘉彦・飯島昇藏訳、ナカニシヤ出版、二〇〇六年、三八〇頁。
＊37　同書、三八〇頁。
＊38　市田良彦・王寺賢太・小泉義之・長原豊『債務共和国の終焉——わたしたちはいつから奴隷になったのか』。

的「普遍同質的《国家》」とは異なり、そこにあるのは万人の「満足」とは似ても似つかぬものとなる。もしも「シュトラウス恐怖症」に苛まれる者たちが、こんにちの不快窮まりない共和主義的仮構すらもシュトラウスが予期し望んでいたと主張するのであれば、それはそれで、誇大妄想なりに一貫しているともいえるだろう。しかし、もっぱら強迫観念や焦燥感を政治経済の心理的動因とするその共同体は、ニヒリズムではないにせよ、徳も善も「力への意志」もまったく欠いているという意味において、師から「秘教」の精髄を伝承されたまっとうな「シュトラウス派」であれば同じく末人国家と見なしても不思議ではない代物である。

第2部　シュトラウス

第VI章　闘う聖人

フランス革命はローマの自覚的な回帰だった。それは古代ローマを引用した——ちょうど、流行が過去の衣裳を引用するように。

W・ベンヤミン「歴史哲学テーゼ」

危険思想

全米屈指のとある名門大学でかつて起こった人事をめぐるいざこざは、米国における当時のレオ・シュトラウス評の極端な一面を象徴していた。シュトラウスが世を去ってすでにそれなりの年月が経過していた一九七九年一〇月、イエール大学でトーマス・パングルの終身教授就任人事が審議されたが、判定は二転三転したのち、結局、彼はイエールを離れてカナダのトロント大学に職を得ることとなった。パングルはアラン・ブルームの弟子であり、したがってシュトラウスの孫弟子にあたる人物である。彼は過去二年間、学部の人文学プログラムを精力的にこなし続け、受講者が「事実上、政治哲学コースに登録した学部生の二分の一を数える」[*1]ほど、彼の講義は学生たちに人気があった。パングルの学内での評価は教育面でも研究面でも非常に高かったため、彼が離職することを知らされた学生や同僚たちの多くは「傑出した教師のひとりを喪失」[*2]したことを深く嘆いたのであった。なにゆえパングルは終身教授職着任を拒否されたのか。

パングルは学問的、政治的差別について言及している。（終身教授職人事の否決に際しては）一連の裁定、所見、規定外措置が学部に存在していたのであって、それらは彼が属すると噂される思想的な学派への偏見を強くうかがわせるものである、とパングルは考えているのだ。その思想学派とはすなわち、〝シュトラウス主義〟である。[*3]

ブルーム、パングル、あるいは彼らとはいくぶん異なるシュトラウス解釈を展開していたハリー・ジャッファなど多数の名の通った弟子たちのみならず、「反基礎付け主義」を標榜するリチャード・ローティのような自由主義的プラグマティスト、博学多識の歴史学者マーティン・ジェイ、果てはスーザン・ソンタグらにいたるまで、戦後の米国を代表する学者や批評家たちに畏敬の念さえ入り混じる深い知的影響を与える一方で、シカゴ大学在任中には一〇〇名を超える博士号取得者を輩出、[*4]ワシントンにも彼の〝薫陶〟を受けた（と自称する）有力議員たちが多くを数える――。シュトラウスがアカデミズム内外で有した影響力は絶大であり、戦後の米国で彼ほど哲学者として成功を収めた人物を見つけ出すのは容易なことではないほどだ。しかし、シュトラウスの威光が高まるその陰で、彼の思想に危険な匂いを嗅ぎつける者たちも確実にいた。イエール大学の「規定外措置」は〝シュトラウス恐怖症〟（Strauss-phobia）が現実の場面で効力を発してしまうほどに強力であったことを例証していたのである。恐怖症を患う者たちにとって、シュトラウスの哲学はエリート主義や新保守主義といった、いまとなっては

＊1　Craig Gilbert, "Academic Freedom at Yale: The Pangle Case," *Yale Political Monthly*, Dec.1979, Vol.1 No. 2, p. 2.
＊2　*Ibid.*
＊3　*Ibid.*
＊4　前章で触れたシャディア・ドゥルーリーがこのことについて言及している。Shadia B. Drury, *Leo Straus and the American Right*, St. Martin's Press, 1997, p. 14. 彼女によれば、シュトラウスは弟子たちの多産について好評を博しているようだ。

すっかり紋切り型になっているシュトラウス批判の決め台詞では生ぬるい、明確な危険思想であった。パングルは、審議委員会のある構成員が講義中に驚くべき発言をしていたことを学生や同僚たちから聞き及んでいた。

学問の自由というのは、一方でそれとしてあるにはあるのですが、にもかかわらず、けっしてここ〔イエール大学〕で教えることが許されるべきではない二種類の人たちがいるのです。つまり、レーニン主義者とシュトラウス派のことです。[*5]

コミンテルンなどには関心も共感も敬意も、具体的ないかなる繋がりもまったく持ち合わせておらず、また、移住先での気遣いが含まれていたであろうとはいえ、アメリカ型共和主義と建国の理念を讃えることもあったシュトラウスが、こともあろうにレーニンと同列に置かれていたのだ。冷戦期の米国における共産主義との敵対的状況に照らし合わせてみれば、それは同業者が博した名声への妬みや僻み、門下生の多さへの警戒心等々、大学共同体で時折見かける低俗な足の引っ張り合いの一例にすぎぬと見なすには度を越しており、ましてや学内で大車輪の働きをしていたパングルにしてみれば、自身に降りかかった実質的な放逐の理不尽を「政治的差別」と嘆いたのも無理はない。

当時のイエールで、「シュトラウス派」の烙印を押されて不遇をかこっていたのはパングルだけではなかったようだ。政治哲学担当のある下級職の人事では、パングル同様、ブルームのもとで学んだクリストファー・ケリー――米国では一八世紀政治哲学、とりわけルソー研究で知られる――もまた、「差別」の憂き目にあっていた。人事委員会では満場一致の推薦を受けていたにもかかわらず、ケリーの人事は不明瞭な理由から土壇場で流されていたのである。イエール大学の学内紙のひとつ、『ポリティカル・マンスリー』(*Political Monthly*)の一九七九年一二月付には、パングルへの聴き取り内容もあわせて掲載されている。

パングルによれば、シュトラウス派という繋がりは「不採用の突出した根拠」であった。その証拠として、彼は学部のある主任教授の言葉を引用した。その主任教授は「イリノイとオンタリオのよく知られた研究機関(そこではシュトラウスとブルームが教鞭をとっていた)から学位を得ている者たち」に対して、「現代政治理論の主流から」許容できぬほどに逸脱しているという非難を浴びせたのであった。[*6]

「シュトラウス派」という分類は、いかなる規定にも明示されてはいないが、いかなる規定に

＊5　Gilbert, "Academic Freedom at Yale," p. 4.
＊6　*Ibid.*

も優先される、学外追放のための「突出した根拠」となっていた。どのような仕方、どのような機会においてであれ、シュトラウスとなにがしかの関係性を有する者、あるいはかつて有した者たちとの接触は、「ダイナマイトを弄ぶ」[*7]（playing with dynamite）に等しいとされていたのである。

反シュトラウス派によるこの穏やかでない「規定外措置」が、しかし、もしも往年のシュトラウス自身のいくつかの発言——それらはあきらかに、公の場でなされた彼の「政治的」意思表示であった——や、とりわけ、勘のよい読者であれば気づいていたであろう、彼の著作群に潜む不穏な思想的諸断片によって触発されたものであったとすれば、この出来事はシュトラウスの政治哲学に別様の輪郭を浮き立たせる格好のエピソードであり得る。人事委員会の構成員たちは、幾世代も隔てたこんにちの読者たちが見落としがちなある兆候、甚だ時代錯誤的であると同時にきわめて現代的でもあるシュトラウスの尖鋭的な着想の一片を直感していたのであり、パングルによってそれが引き継がれ、何らかのかたちで漸進的に伝播してゆくことに危機感を抱いていたのかもしれないのである。であるならば、パングルが学生や教員たちから多くの支持を集めていたという事実は、大学側からすれば彼を慰留する理由になどまったくならず、むしろその逆であったことだろう。

“Jew”という語に変わらぬ差別的意味合いが執拗についてまわるなか、とりわけ一九六〇年代から七三年までのあいだ、シュトラウスはあえてユダヤ的なるものをめぐる講演を精力的に続け、ときに超正統派ユダヤ教運動にさえ情熱的に参画していた。その際の彼の言動は、凡百の職業大学人たちが望むほぼすべてを手にした者が晩年になってとるものとしては、あきらかな過剰さを漂わせており、しかもその過剰さは、古典哲学の注釈で限られた者たちのみがおこない得る〝秘義的読解〟の静謐さからは懸け離れた、非常に率直な政治社会批判となって聴衆に向けられていたのである。そこでは、決して交差しないはずの宗教と政治（批判）が、両者のあいだに架橋不能な空隙を穿たれたまま同時に語られていたのであった。たとえば、勤務先のシカゴ大学で催されたコロキアムで、シュトラウスはユダヤ教徒とキリスト教徒たちを前にあるメッセージを送っていたが、シュトラウスがそこで語っていたのは、迫りくる共産主義の脅威に対峙するアメリカ型共和主義や自由主義の礼賛でもなければ、直近の歴史的出来事であるキューバ革命とそれに続く「危機」、あるいは深まりゆくベトナムの戦禍についての〝政治哲

*7　*Ibid.*

学者〟らしい懐の深い考察や論評でもなく、むしろ政治的現実そのものを突き放す宗教者の在り方についてであった。

いわゆる「永遠の忍耐」というのは、受苦におけるあの強さのことです。いまや近代世界に全面的に降伏してしまったか、もしくは、この世界からの離脱がユダヤ人やキリスト者たちにはふたたび必要となるかもしれない、と思案し得るだけの知性を欠いた浅薄な人々によって「ゲットーメンタリティー」などと蔑まれている、あの強さのことなのです。[*8]

有為転変する政治的現実に惑わされることなく「ゲットー」に籠ること、ちょうどアーミッシュや比丘のように、実社会の諸領域から身を退くことを、シュトラウスは神への従属的愛（obedient love）に生きる者たちに教唆している。経済的にも軍事的にも、西側陣営をまるごと庇護するパクス・アメリカーナの未来を誰も悲観しないなか、非現実的ともとれるそうした在り方は、物知り顔の知識人たちから厭世主義や敗北主義の廉で非難を招いただろう。哲学者らしからぬその宗教カルト色の不気味さを白眼視され、巷の床屋政談では格好の嘲笑的な話題を提供したかもしれない。とりわけキリスト教右派が共和党の有力な支持母体となっている米国において、それは最悪の場合、ユダヤ人に対する迫害にも似た陰湿な嫌がらせや深刻な不利益をも招きかねない。そうした考えられる禍《わざわい》をすべて承知したうえで、それら一切の侮蔑や攻撃を甘受する「忍耐」と「強さ」こそ、「イエルサレム」の生き方を継ぐ者たちが堅持すべきものであるとシュトラウスは説いていた。

シュトラウスを動機づけていたのは、「知性を欠いた浅薄な人々」への、そしてそれらの「人々」によって構成される「近代世界」への、若かりし頃からいささかも変わらぬ嫌厭であった。「イエルサレム」の本分をめぐるシュトラウスの訓戒は、そんな訓戒などまるで通用しない「世界」に対する諦念、そして内奥に沁みこむ冷たく乾いた怒りを背景としていたのであり、その意味で、すぐれて政治的な性質を帯びていた。彼は非常にしばしば、自身の思いのたけを他人に、とりわけ彼が高く評価している者の思想に仮託して表明するが、一九五六年――フルシチョフが党大会で公然とスターリン批判をおこなった年である――の講演で語られたハイデガー論もそのうちのひとつであった。先の宗教者へのメッセージに通底する、ある思想的な下地がそこでも露わになる。

ハイデガーにとって世界の中心がモスクワであろうがワシントンであろうが違いはなかった。「アメリカとソヴィエト・ロシアは形而上学的に同じである」。彼にとって決定的なのは、この世界社会が悪夢以上のものであるということだ。彼はそれを「世界の夜」(Weltnacht)

＊8 Leo Strauss, "Perspective on the Good Society," *Jewish Philosophy and the Crisis of Modernity*, p. 440.

と呼んでいる。それが実際に意味するのは、マルクスが予言していたように、永遠に都市化され、永遠に科学技術が余すところなく発展する西側の、全地球に対する勝利のことである――それをもたらすのが鉄の強制であろうと消費者にへつらう大量生産品の宣伝広告であろうと、いずれにせよ完全な平坦化と均質化の勝利である。それは、最低の水準でなされる人類の統一であり、生の完全な空虚であり、意味も理由もない型どおりの所作の自己永続化である。余暇もなく、傾注することもなく、上昇も後退もなく、あるのは仕事とレクリエーションのみだ。諸個人はおらず、諸々の人民もいない。「孤独な群衆」がいるのみだ。[*9]

それらが「大量生産品の宣伝広告」によってあらかじめ設えられ、煽られたものであることになかば気づきながら、誰もが何ごとかを求めて歌い、踊り、着飾り、性交と惰眠を繰り返しては、ふたたび起きあがって何ものかを所有するよう急き立てられる社会、なにより、そうしたかりそめの欲求や欲望の充足手段として労働を続けることが唯一の生き方であるとされる社会、ようするに消費者と労働者の社会が一方にある。それは、生涯の友人であるアレクサンドル・コジェーヴが五〇年代の米国に見た「ポスト歴史」の光景そのものであったともいえる。そして他方では、いずれ歴史法則の「鉄の強制」がそうした社会の終焉を告げるであろうと予言する〝前衛的〟知識人たちよって率いられた社会がある。シュトラウスが宗教者たちにそこからの「離脱」を教唆した「世界」とは、それら両者であった。むろんシュトラウスは、西側のリベラルデモクラシーが「ユダヤ人たちに対する殺人的な憎悪以外に明確な原理をまったく持たなかった唯一のドイツの政体」[*10]とは比べるべくもないことを十分に弁えており、また同時に——この点については後ほど別角度からあらためて論じることになるだろう——、それとは一見したところ真逆の集団形成の在り方として、一個の卓越した個人もしくは諸個人が群衆を導くことそれ自体を否定するものでもなかった。西側東側を問わず、しかし、現存する「政体」は、否、いずれに属する人々の「生」は、これまで誰も経験したことがないほど虚無的になっているとシュトラウスの目には映っていた。あたかもシュトラウスは、たとえば、彼の没後一〇年を経てミシェル・フーコーがソクラテスを介して学生たちに投げかけたあの素朴な問い、「あなたは今をどのように生きており、過去の生をどのように生きたのか」[*11]という問いが生まれる余地、そしてなかんずく、その問いに悦びとともに応答する余地などもはやどこにも残さ

*9　Leo Strauss, "Heideggerian Existentialism," *Interpretation*, Spring 1995, Vol. 22, No. 3, University of Chicago, p. 316. この文章は一九五六年に催された講演のテープ起こし文である。
*10　レオ・シュトラウス「〝スピノザの宗教批判〟への序言」『リベラリズム　古代と近代』三四八頁。
*11　ミシェル・フーコー『真理の勇気　コレージュ・ド・フランス講義一九八三–一九八四年度』筑摩書房、二〇一二年、一八一頁。

れていない、などと達観しつつ、早々に「世界」に見切りをつけていたかのようですらある。

こうした診断は、誇大妄想とまではいわずとも、アカデミズムにどっぷりつかった神経質な哲学者による大袈裟で観念的な現状否定にすぎない、と「浅薄な人々」は即座に思うであろうことを、シュトラウスは重々承知していた。「人々」にとってそれは現実ではなく、そんな空疎な「世界」など単に存在しない。孤独な群衆たる彼らは、ただ黙々と自分らの生を支える具体的、物質的基盤の整備、拡充を図り、そのことを通じて何ごとかを成し遂げ得るという慎ましやかな期待を抱きながら暦を数えあげてゆく。「そうやって皆、日々まじめに生きている」などと自らに言い聞かせながら。そんな彼らの生活実感を、たとえば知識人と呼ばれる者たち――シュトラウスが最も軽蔑する一群である――が、各々の〝専門的見地〟からときに助言を、ときに警告を与えることで肥やしもするだろう。知識人たちは経済や政治、そして人間の身体に関する各種情報と〝ソリューション〟を提案することで衆目を集めたがっている。彼らは、自分らが牧人になれるかもしれないと密かに期待している羊のうちの一匹であるが、衆目を集めるために、つまり「群衆」からより多くの承認を獲得するために、彼らもまた「日々まじめに生きている」のである。

近代人は、成功するために、あるいはむしろ、みずからが成功しうると信じることができるようにするために、人間の目標を引き下げなければならなかった。このようなことをするやり方のひとつが、道徳的な徳を普遍的承認に置き換えるというものであり、あるいは、幸福を普遍的承認から生じる満足に置き換えるというものであった。[*12]

ヘーゲル＝コジェーヴ流の「承認のための闘い」から〝生死を賭した〟というのっぴきならない要素を取り除いて無毒化したようなこの「普遍的承認」なるものは、影ふみのようなものであって決して満たされることなどないが、実のところ「群衆」も「知識人」たちもそのことをよく心得ている。富、名声、健康、寿命の長短等々、相対的でうつろいやすい満足の多寡を競うことをもってよしとするのが「近代人」の生き方であるという現状を誰もが受け入れているように見えたとしても、それは一定程度の妥協をともなってのことだ。とはいえ、そうではない別様の生の在り方を妥協なく探し求めるには、彼らはあまりに「日々まじめ」であり、つねに時間にとらわれているため、つねに時間がない。その生真面目さは、しかし、労働と消費の果てにふと漏れ出るシニカルな自嘲と隣り合わせになっている。

相対的な価値などには目もくれないはずの宗教はどうか。「世界の夜」にあって、信仰は諸個人の〝心の問題〟として処理され、宗教者たちは無形文化財に指定された儀式以外の活動を封じられる。いかなるかたちのものであれ、超越者への従属は野蛮な時代の残滓として否認さ

---

*12　シュトラウス「クセノフォン『ヒエロン』についての再説」一四七―一四八頁。

れる。「現実的な状況から独立した基準が存在しているという、まさにこの考えを破壊する」[*13]ことが「群衆」の日常を構成していることに、「モスクワ」も「ワシントン」も然したる違いはない、とハイデガー＝シュトラウスは確信していた。従属ではなく順応を、超越者ではなくそこにいる隣人を、彼岸ではなく此岸を——敬虔な宗教者にしてみれば何の意味もなさない二元論である——、幸福ではなく満足を、というわけだ。「人間の目標の引き下げ」は所与の条件となり、かくして、無限なき有限と祈りなき服属があまねく「世界」を満たすにいたる——。

シュトラウスのいう「最低水準の統一」とは、おおよそ、このような様相を呈するものであった。〝新保守主義者〟レオ・シュトラウスは、あと数年早く公にされていたならばマッカーシズムの「赤狩り」にさえ遭っていたかもしれぬほど、「西側の全地球に対する勝利」をアイロニカルに描写していたのである。しかし、「平坦化と均質化」への警鐘に象徴される近代ヨーロッパ文明への批判的洞察ということであれば、序章で触れたジンメルのような「生の哲学」や一部の新カント派、そしてむろんハイデガーを含め、一九世紀から二〇世紀中葉にかけて、国境を超えて膨張する資本主義の大波に一歩遅れて曝されることになった多くのドイツ系哲学者たちによって度々示されてきたものである。また、同じユダヤ系哲学者として、フランツ・ローゼンツヴァイク、マルティン・ブーバー、あるいはヘルマン・コーヘンらから多大な影響を受けていたシュトラウスが「世界」への拭い難い不快感を抱き続けていたとしても、それは当時の彼を知る学者たちには自明のことであったはずだ。イエールの学者たちにレー二ン主義と同等の警戒をさせ、学内から「シュトラウス派」を根絶やしにするよう駆り立てたものを、シュトラウスの思想的来歴や周辺の思想家たちの知的傾向に帰するのは、いささか無理があるだろう。すでに世を去っているひとりの哲学者の批判的かつアイロニカルな身振りは、はたして、彼にかかわった後代の人物たちさえ排除するほど、あらためて危険視されねばならぬものだったのか。われわれはここで先の問題設定をいま一度、言い方を変えて確認しておかなければならない。それはつまりこういうことだ――「ダイナマイト」の喩えがわれわれに予期させるのは、ある大学の人事にまつわるいざこざにとどまらず、アイロニーの先にあるシュトラウス哲学の破壊的なポテンシャルではなかったか。

斥ける力

シュトラウスは、彼が一般的に「政治哲学」と呼ぶものが世に過激な要求を突きつけることをまったく望んでいなかった。彼は良くも悪くも政治に高望みをしておらず、したがって、通常、政治哲学が極端な変化をやんわりと回避する中庸の学へと帰着することを期待していた。「政治哲学に生命を吹き込む精神（spirit）は、静穏と崇高な節度」[*14]であるというのがシュトラ

*13 同書、一四八頁。

ウスの考えであったのだ。哲学の下位に位置づけられ、哲学の過激さとは対照的な「政治哲学」のそうした定義とは裏腹に、しかし、シュトラウス自身が抱え持つ不可思議な屈託は、時折、内省的な哲学の閉域を食い破らんばかりの挑発的、扇動的な論調とともに、彼の思想のいくつかの尖った側面を思い出したように奔出させていた。テクストの詳細な注釈が延々となされた後、もしくはその合間に、なにがしかの留保をつけた限定的な批判ではなく全面的な否定が、受容ではなく峻拒が、仄めかしではなく言明が、唐突に前面に押し出される。たとえば先に見た講演では、「世界」の頽落、「西側の全地球に対する勝利」に完全に背を向けることが宗教者たちに説かれていたが、これは戦後のリベラルデモクラシーにあって、いわゆる〝亡命知識人〟に期待される論説としては、やはり穏やかなものではなかったといえる。彼がそこで強調していたのは、宗教者と現実世界との折り合いなどではなく、現実世界から身を退く実践の宗教的意義と本義であったのだ。

シュトラウスは、すでに言い尽くされた観もある反近代の語りをアカデミズム内部で反復するのではなく、実践と行動が本分であるとされる宗教者、「イエルサレムの民」に向けていた。先に見たシカゴ大学の同じ講演で、彼はフランスからシカゴ大学神学部に招かれていたポール・リクールの見解を解説するとともに、それに同意するかたちで、ユダヤ=キリスト教の信仰が行動と不可分離的であることを繰り返し述べている。

リクール氏は、信仰と行動との関係についての「ヘレニズム的な」理解の仕方に、時としてキリスト教が屈服したのだと強く主張されております。信仰を行動から、とりわけ社会的行動から切り離すことによって、個人の救済と「歴史的贖罪」とのあいだのいかなる連関をも認めないことによって、あるいは、本来的な罪から区別される、「非人称的諸制度」（国家、財産、そして文化）に具現化された悪への無頓着によって、屈服したということなのです。[*15]

ヘブライズムの正統がヘレニズムによって汚染されてきた、というわけだ。同様の論点は、コロキアムに発表者のひとりとして同席していたジョン・ワイルドが示したものでもあった。当時ノースウェスタン大学の哲学部長であり、現象学の研究でも知られていたワイルドもまた、「信仰は行動において生じるものであると信じることにおいて、ユダヤ教とキリスト教は同じ」[*16]であるにもかかわらず、そうした宗教の在り方がギリシャ発の主知主義的な信仰理解によって、とりわけキリスト教において損なわれてきた、と主張していた。「非人称的制度」と

＊14 Strauss, *What is Political Philosophy*, p. 28.
＊15 Strauss, "Perspective on the Good Society," p. 441.
＊16 *Ibid.*, p. 440.

しての教会が神（Theos）や信仰を言葉によって分節化する神学を担い始めた中世以降、ヘブライズムもヘレニズムもともに揃って堕落の道をたどったのだとかねてから主張してきたシュトラウスは、[*17] 当然、この点に関してリクールやワイルドと認識を共有しており、それゆえ、ユダヤ＝キリスト教者は自らの本分に立ち返って、「市民的秩序の基盤は啓示ではなく、理性のみであるべき」[*18] とする国家や社会から距離を取らねばならないと説くにいたったのである。しかも、そこで説かれているのは心理的な〝距離感〟の類いではなく、繰り返せば、現実の行動としての「離脱」であった。

信仰／誠実さは、人間の心理にも、またそれに影響を及ぼす素朴な外部環境にも還元されることのない、「現実的な状況から独立した基準」にこそかかわるものであった。ところが近代以降、そうした「基準」は信仰者たちからいったん没収され、代わりに、彼らが信仰とともに古くから保存、継承してきた豪奢な宗教芸術や建造物が〝保護〟の対象となって文化的意匠を施されてきた。つまり信仰は〝文化〟化されたかたちで、「現実的な状況」の直中へと差し戻されたのであった。何によってか——哲学によってである。シュトラウスによれば、信仰／誠実さの〝文化〟化と相対化の土壌を提供してきたのはほかならぬ近代哲学であり、近代哲学における理性への偏愛であったのだ。

（…）理性の宗教（そんなものがあり得るとして）は人に理性の自己充足を信じ込ませ、とりわけユダヤ教やキリスト教のメッセージを、本当に必要とされる物事に添えられた付加物、平穏を乱す不必要な付加物と見なすとともに、宗教的信仰の安楽死を、あるいは「倫理的な文化」なるものを導きがちなのであります。世俗的な国家に向けてユダヤ教徒とキリスト教徒が友好的な会合（collatio）を設けるための共通の地盤は、哲学者たちにとっての神への信仰などではあり得ず、アブラハム、イサク、そしてヤコブたちの神のみでありますす。十戒を、あるいは諸事情の如何にかかわらず、なんにせよ、あらゆる環境下で拘束力があるそうした戒律を啓示せしめた神のみなのです。[*19]

本書「序にかえて」で見たように、シュトラウスは理性、ならびにそれと対照して語られる非理性や狂気、欲望、あるいはより一般的に「心」の内側へと人間を閉じ込める（と彼が信じる）近代哲学にかなり辛辣であった。近代哲学による「心の分析」は、一方で「あらゆる真実、ないしはあらゆる意味、あらゆる秩序、あらゆる美は、考える主体に、人間の思想に、人間に

＊17　拙稿「俗物に唾することさえなく――フーコー、シュトラウス、原理主義」（市田良彦・王寺賢太編『現代思想と政治――資本主義・精神分析・哲学』平凡社、二〇一六年）第二章を参照されたい。
＊18　Strauss, "Perspective on the Good Society," p. 436.
＊19　*Ibid.*, p. 437.

由来する」[20]という考えを極度に洗練させ、他方、政治的には、人間が闘争、歴史、そして「世界」の担い手であるという〝解放〟言説の基盤を作りあげるとともに、命の奪い合いによって引かれた境界線の内側で「非人称的諸制度」の構築に必要な諸文法、語彙、修辞法を粛々と提供し続けてきた。それら「諸制度」は、あろうことか神への従属的愛さえ、人間の心理や「倫理的な文化」などと同じ地平で扱い、諸個人の略歴の一項目として登録させる。「理性の限界内のみでの宗教」は、もはや気難しい哲学者の説明などまったく必要としないほど堅牢に制度化されるにいたった。シュトラウスにしてみれば、その失敗と悲惨な結末を含めて彼がかつて経験したヴァイマール体制下の「同化政策」は、欧州の惨禍を逃れて彼がたどり着いた、地球上のどこよりも豊かな米国にあってなお、否、むしろ米国にあってこそ、このうえなく力強く根を張ってしまっていたのである。近代哲学は「理性の自己充足」、あるいは「人間中心主義」という、政治的に実効性をともなうイデオロギーの種を撒いたのであって、まさにその意味で、シュトラウスにとってブルジョア哲学そのものであった。

近代以降の「非人称的諸制度」では、信仰のみならず、様々な思想や信条もまた、〝専門性〟の名のもとに区画化され相対化される。そこでは主犯であった哲学さえ、政治社会との境界意識、もしくは切断の意識、したがって境界を跨ぎ、切断面を溶接で取り繕おうとする意識――シュトラウスがその溶接につけた名は政治哲学である――が希薄なまま、〝純粋哲学〟なる思弁の内にとどまることを当然視されるとともに、せいぜい、大学の講義やサロンのような場――それはこんにちでは〝学会〟と呼ばれる――でのお喋りにちょっとした話題提供をすることが然るべき〝公的役割〟となる。哲学もまた、〝文化〟化されるのだ。私的領域や大学の研究室で塩漬けにされた職業哲学者たちの没政治的な生き方は、市場を徘徊しつつ人口に膾炙した「知」を「無知」へと書き換えることで、ポリス内にありながらポリスの異物であり続けたソクラテスのそれとは似て非なるものとなった。「心」への、あるいは制度的区画内への退却には、古典古代の哲学者たちが都市の直中にあって自己を際限なく異物化してゆく際の斥力――それは万人を統治の引力で縛りつける政治とは正反対の方角を向いている――、ならびにそうした斥力によって惹起される闘争的な契機がおおかた霧消している。そうであるがゆえに、シュトラウスは思惟ではなく、「諸事情の如何にかかわらず、あらゆる環境下で」戒律を遵奉するとともに、なにより信仰／誠実さを行動でもって示すことを本分とする「イエルサレム」の民たちに訴えたのであった。ブルジョア・イデオロギーと鋭い対照をなし得るのは、人間のおこないに寸分の妥協の余地をも与えぬ神への愛のみであるというわけだ。ここでは、しかし、ある問いが否応なしに浮かんでくる。至極単純な問いである――結局、彼はいったい何を望んでいるというのか。

哲学が接点を持ち得ないとされる政治への介入を政治哲学はおこなう。シカゴ大学の講演は、

＊20　Strauss, "Progress or Return?", p. 102.

ユダヤ＝キリスト教徒たちに都市の直中で都市からの離脱、すなわち彼らの鬱勃たる斥力を求めるものであり、したがって、それによって不可避的に惹起される政治的緊張を彼らが「永遠の忍耐」とともに受け入れることを求めるものであった。間接的なかたちではあるものの、シュトラウスは政治的介入をおこなっていたのだ。しかし、そこでの「介入」というのは非常に奇妙なものである。宗教者による「この世界からの離脱」が都市に動揺をもたらし、ましてやなにがしかの大がかりな政治的地殻変動を生じさせることを、政治哲学者を演じる哲学者レオ・シュトラウスは期待していたのだろうか。政治哲学は「静穏と崇高な節度」を旨とするのではなかったのか。さらに問題含みなのは、シュトラウス自身によって設けられた宗教と哲学に関する厳格な規定を、くだんの宗教への接近が違えているのではないかという点だ。政治哲学者は、政治哲学者である以前に哲学者である。哲学者が信仰の高貴を宗教者たちに説き、神への愛を大義に掲げて特定の行動を彼らに教唆することは、政治哲学による通常の介入、つまりひとりの哲学者が彼の賢慮をもって為政者、もしくは政治に携わる者たちに助言を与えるという類いの穏やかな介入ではない。それは事実上、哲学による宗教的実践となりかねず、ヨーロッパ文明に関するシュトラウスの見取り図に照らし合わせれば、許容できるものでは断じてなかったはずである。シュトラウスによれば、ヨーロッパ文明の二つの源流である宗教と哲学、すなわち、「イエルサレムとアテナイ」は原理的に交わることがなく、それが混交したかのような体裁をとったとき、ヨーロッパに大いなる頽落をもたらしたと彼が考える、あの「神学」

が誕生した。[*21]「哲学者たちにとっての神への信仰」というのは、宗教の無条件性と哲学・科学の普遍性とが掛け合わされた最悪の欺瞞であり、神学への後退にほかならなかった。だとすれば、「イエルサレム」への接近は、まさにそうした後退へと連なる道筋を宗教と哲学にふたたび用意することになりはしないか。ようするに、信仰の高貴と哲学の愉悦という、相容れないふたつの生の在り方、シュトラウスが価値ある生として認めるふたつの相反する生き方が想定されていることに変わりはないが、そこでは、それぞれにとっていっそう相容れない「政治」が、それらふたつを結びつける蝶番の役割を担おうとしているようにも見えるということである。

これに対して、もしも哲学者による「理性の宗教（そんなものがあり得るとして）」を攻撃したはずのシュトラウスが、神学的ではない「イエルサレムとアテナイ」との混交、そしてさらに、「イエルサレムとアテナイ」と政治との不可能な合一についてなにがしかの原初的イメージを篋底《きょうてい》に秘していたのだと仮定するならば、少なくともシュトラウス自身にとっては先述の如き諸矛盾は端から解消されていたことになるだろう。のみならず、それはこんにちのシュトラウス信奉者たちの多くが通常抱きがちなもの――古典的共和主義を尊ぶ保守的リベラリスト――からは相当に懸け離れたシュトラウス像を浮かび上がらせることにもなるだろう。という

＊21　この点に関しても、布施の前掲稿「俗物に唾することさえなく」を参照されたい。

のも、二〇世紀も半ばを過ぎた最も豊かな米国で、彼は狂気じみた神権政治の類いを提唱していたなどと理解されかねないからである。あるいは、より穏当な線で、神託を受けた哲学者が政治的活動をおこなうというイメージであれば、シュトラウスがそのモデルとなる人物を、たとえば彼にとって特権的な哲学者のひとりであるソクラテスに見ていたと考えることも可能ではある。[*22] ただし、ソクラテスの「政治」はアイロニカルな啓蒙という形式をとるのであり、宗教者であるか否かを問わず、人々に特定の行動を声高に促すものではない。ましてや、彼は終生都市にとどまり都市の法に殉じることを、すなわち「離脱」ではなく残留を、彼自身の哲学的生の在り方として選択したのだ。それゆえ、シュトラウスが実践を機軸としつつ、宗教‐哲学‐政治の不可能な合一を抱懐していたという仮説が不当なものでなければ、彼は別の哲学者を念頭に置いていたと考えるほうが妥当であるだろう。それは誰か——最有力の候補者は、おそらく、マキアヴェッリである。シュトラウスと同時代を生き、なおかつまともな洞察力を備えた（反シュトラウス派の）哲学者たちであれば、彼の尖鋭的なマキアヴェッリ解釈に『国家と革命』に比する危険性を見出していたとしても驚くにあたらない。

回帰への道

どれほど賢慮ある者が統治者になろうとも、政治の舞台は数々の愚行で溢れかえっている。

ドイツにおける彼の同時代人たちの多くが同様の想定をしていたように、シュトラウスもまた、政治には哲学や科学から、そして信仰からも切断された、下品で暴戻《ぼうれい》なある固有の力学が働いており、そこには哲学が哲学者にもたらす愉悦など見る影もないと考えていた。先述のとおり、それゆえ哲学は政治に対する斥力においてのみ、政治との関係性を有する。その斥力は、しかし、政治的領域への心理的な嫌悪感の類いと混同されてはならない。というのも、政治的諸事象を斥ける力は単に哲学的思考にともなう必然的な傾向、方向性であるからというだけでなく、むしろ哲学者は自らの思考の養分を政治から受け取っていたのであり、その意味で、哲学にとって必要不可欠な跳躍台ですらあったからである。なにゆえ政治が哲学者の養分であり得るのか——政治の新しさのゆえである。死すべき人間が統べる地上の国が永続することはない。空き家が朽ちてゆくように、手を加えられなければ、しかもしばしば劇的に刷新されなければ都市は内外からすぐにでも崩壊の危機に晒される。暴力と支配、そして秩序の領域、つまり政治の領域は、絶えざる刷新を続けなければ自らを維持することができないのだ。あまりの愚かさと不条理ゆえに哲学者たちを嘆かせ、呆れさせ、憫笑させ、しかしいずれにせよ驚かせる、その新しさこそが、「政治的事象を新鮮さと直接性(freshness and directness)とともに眺める」[*23]哲

*22 ソクラテスの「政治的活動」に関しては、たとえば『ゴルギアス』におけるカリクレスとの対話を参照されたい。

学者に肥やしを与え、彼らの「斥力」の源泉となるとシュトラウスは考えていた。

古典的政治哲学は非伝統的である。なぜなら、それはあらゆる政治的伝統が揺らぎ、政治哲学の伝統なるものがいまだ存在しないような、そんな肥沃な瞬間に属するものだからである。[*24]

伝統をそのようなものたらしめる時間軸が消えてなくなり、自らの立ち位置を失ったまま、しかしにもかかわらず、人間は相変わらず群れをなしてそこにただ在る、という奇妙な非時間性の感覚と実存を、哲学者は誰よりもありのままに、そして嬉々として受けとめる。「不可思議なものに驚く感覚（sense of wonder）がその始まり[*25]」である哲学にとって、つねに新しきものへと衝き動かされる政治の地平ほど「肥沃」なものはない。時局に翻弄される為政者や他の当事者たちからすれば噴飯ものであるがゆえに秘匿される哲学者の身勝手な愉悦（eros）の追究——哲学者が政治哲学者であらねばならなかったいまひとつの理由、ソクラテスが都市にとどまり続けた理由がここにあったのだ。それゆえ、古典古代を理想化する通俗的〝保守主義者〟としての人物像がシュトラウスに当てはまることはないだろう。政治に対峙する際、シュトラウスが保守に値すると考えていた伝統が仮にあったとすれば、それは特定の時代の特定の人物の生に体現された古き良き徳やその在り方それ自体というよりは、むしろそれらが断絶と失効に直面してしまう伝統、絶えざる伝統の断絶、「非伝統」の伝統にほかならなかったのである。
政治哲学が立ち会うこの「非伝統」をこのうえなく鋭敏に意識していた最初の哲学者こそがマキアヴェッリであった。このことをシュトラウスは躊躇なく認めるが、むろん、それは彼がマキアヴェッリを手放しで褒め称えていたことをまったく意味しない。それどころか、シュトラウスのマキアヴェッリ評価は、少なくとも表面的にはおおむね否定的なものであり、彼は「最低の水準でなされる人類の統一」へと続く扉を開けてしまったのはマキアヴェッリであるといわんばかりの筆誅を加えているようにさえ見える。

ひとつのユートピア、その現働化（actualization）がとても起こりそうにないような最良の体制について記述することをもって極まるような、そんな政治へのアプローチには、どこか根本的な誤りがある。だとすれば、徳という見地（bearings）、ある社会が選択し得る最高の目標（objective）という見地に立つことはやめにしよう。そうではなく、すべての社会によって現実に追求されるような目標という見地に立つことにしよう。こんな具合にマキ

＊23 Strauss, *What is Political Philosophy*, p. 27.
＊24 *Ibid.*, p. 27.
＊25 Strauss, “Progress or Return?”, p. 109.

アヴェッリは意識的に社会活動の諸基準を下落させるのである。彼が諸基準を下落させるのは、より現働化可能な構想、下落した諸基準に合致すべく構築される構想へと連なってゆくよう企図されている。こうして、運（chance）は縮小される。すなわち、運は征服されることになるだろう。[*26]

プラトンの馴染み深い「洞窟」の語りは、マキアヴェッリ以降、途方もなく長い時を隔てていっそう剴切《がいせつ》な譬えとなった。政治の領域である都市は洞窟だ。マキアヴェッリがおこなったのは、洞窟内の影を幾重にも濃化させ、住人たちの思考と想像力、そして「社会活動」をもっぱらそこにのみ集中させるための遮眼帯を作りあげることであった。「刮目せよ！　諸君らが直視すべきものはいつも諸君らの眼前にあるのであり、また眼前にしかない！」というわけだ。マキアヴェッリは洞窟内の住人、「哲学を尊ぶことができない、あるいは尊ぶ気がない市民たちの総体[*27]」としてのデーモス（demos）と「人間の最高次の徳もしくは完成態に照らして政治的諸現象を理解した[*28]」哲学者が、「ある溝によって分離されており、両者の目的は根源的に異なる[*29]」ことを知悉していたが、そのうえで彼が選好したのは、前者、すなわちデーモスにとって「現働化可能な構想」であった。

マキアヴェッリはかの哲学観をめぐって決定的な転回を成し遂げる。人間の生活環境

(estate) を安んじ、人間の力能を増大させ、あるいは合理的な社会に向かって人間を導くという目標への転回であるが、そうした社会の紐帯と目的(end)とは、各構成員の見識ある(enlightened)自己利益、あるいは心地よい自己保存なのである。[*30]

かくして「洞窟は〝実体〟となる」。[*31] 中世が過ぎ去るや否や、哲学は洞窟への巣ごもりを決め込む。教会から洞窟への「転回」だ。これは哲学者が〝社会に役立つ知識人〟をもって自任するということでもあるだろう。さらに、洞窟の暗闇が地球を覆う始点が形成されるのもここであるだろう。実際、シュトラウスはマキアヴェッリの「転回」を帝国主義——近代以降の、つまり今日的な意味での——にさえ結びつけている。

＊26 Strauss, *What is Political Philosophy*, p. 41. ここでシュトラウスが用いる「運」(chance)は、マキアヴェッリのいうFortunaを意味している。
＊27 Strauss, *Thoughts on Machiavelli*, p. 296.
＊28 *Ibid.*, p. 295.
＊29 *Ibid.*, p. 296.
＊30 *Ibid.*
＊31 *Ibid.*

彼は初期の、あるいは後のどの思想家よりも明確に、帝国主義もしくは「パワーポリティクス」の擁護論を述べてきた。しかし彼にそのようにさせ得た原理は、同様に国内政策にも該当する。というのも、彼によれば、人間に関する根本的な事実は強欲さ（acquisitiveness）と競争だからである。[32]

この範例的ともいえる〝マキアヴェリズム〟批判がシュトラウスによるマキアヴェッリ評価の大きな部分を占めていることには相違ないが、しかし他方、一九五八年に出版されたマキアヴェッリ論の題名が『マキアヴェッリについての諸思考』（*Thoughts on Machiavelli*）となっていることを見落とすべきではない。「哲学は都市を超越する」[33]にもかかわらず、「都市によって設けられた諸限界の内側におおむねとどまる」[34]選択をしたマキアヴェッリへの批判は、いくつかの考え（thoughts）の一部でしかない。むしろ、シュトラウスが長い論究のなかで非常に多くの紙面を割き、強調的な筆致でもって繰り返し綴るのは、「創始者」（originator）、そして彼の創始的営為をめぐるマキアヴェッリの洞察である。一瞥しただけでは〝マキアヴェリズム〟批判をあらためて基礎づけているだけであるかのようにも見えるが、シュトラウスはマキアヴェッリによる始まりの語りから、ある重要な――おそらくそれを抜きには後代の者たちがマキアヴェッリを読む意味を失うほどに重要な――意図、もしくは意志を掬い出している。

まずは順を追って確認してゆく必要があるだろう。創始者とは、人間の共同性を設立する者であり、法を制定する者であり、善を開始する者である。『君主論』、そしてとりわけ『ディスコルシ』で、遠く時を隔てた偉人たちや彼らを取り巻く諸事象を詳細に繙きつつ、マキアヴェッリは創始者たちがいかにして〝始まりを始める〟ことができたかについて考究していた。哲学者マキアヴェッリの知的営為は、「始まりへの回帰」（return to the beginning）に向けられていたのである。「始まり」には欲するもの、求めるべきもの、向かうべきものがもはや、あるいはいまだ、何もない。それゆえ、とシュトラウスは続ける、

始まりへの回帰とは、すべての事例において、新しい諸秩序を導入することである。したがって、とりわけマキアヴェッリによる古代の諸様態と諸秩序への回帰は、必然的に、新しい諸様態と諸秩序の考案を意味する。始まりへの通常の回帰は創設にともなうテロルへの回帰を意味する。始まりへのマキアヴェッリの回帰は、原初的もしくは始源的テロルを意味する。始源的テロル（original terror）は、人の手によるあらゆるテロルに先立ち、なにゆえ創設者（founder）がテロルを用いなければならないかを説明するとともに、彼をして

＊32　*Ibid.*, p. 293.
＊33　*Ibid.*, p. 296.
＊34　*Ibid.*

テロルの使用を可能たらしめるものである。[*35]

創始者、創設者を含むあらゆる支配者、統治者の個別的テロルを可能にする「始源的テロル」という概念の底流をなす基本的な着想は、「人間は生まれながらにして徳へと方向づけられているわけではない[*36]」という至極単純なものだ。悪徳ではないにせよ、非‐徳性を準自然的与件としている人間は、「生まれながらにして」恐怖を介した服従がなければ共同性を形成できず、したがって各々の生存を維持することができない。創設者の「始源的テロル」は、人間のこうした宿痾を前提とした、必然的な、もしくは準自然的な「テロル」として位置づけられる。つまりシュトラウスは、マキアヴェッリがテロルを必然／必要（necessità）と見なしていたと解釈するのである。

ただし、その創設者からして、人間を救済すべく不承不承に残虐行為に及んだわけではない。彼もまた、「強欲さ」に駆られて愚行を繰り返していたひとりにすぎない。創設者は、それゆえ、最も残忍なテロルによって秩序らしきものを打ち立てた最悪の咎人ということになるが、マキアヴェッリはただひとつの条件、すなわち、彼が創設者であり「創始者」であるということ、古い秩序を破壊して新しい秩序を設立する者であるという条件とともに、その咎人を擁護する。「だれか一人の人物がやらないかぎり、古くからの制度を根本から改められるものではない[*37]」。このようにマキアヴェッリが語るのは、ローマ建国の父でありながら弟殺しのゆえに神格化と同時に悪魔化もされたロムルスについてであるが、彼の念頭にあったのは世俗の王だけではなかった。預言者もまた、そのような創設者であり「創始者」だ。「軍備ある預言者はみな勝利したが、軍備なき預言者は滅びてきた」[*38]。最もよく知られた最も古い勝者はモーセである。

聖書はモーセとキュロスやロムルスといった他の創設者たちとのあいだに根本的な違いがあると主張するが、理性はそのような差異を認めない。モーセの創設は他の創設がそうであるのと同じように純粋に人間的なものであった。マキアヴェッリがその後すぐに示唆しているように、諸国家は自然的なものである。いかなる国家であっても、モーセによって創設された国家でさえ、超自然的基盤を有していない。ひとは創設者たちの生涯に大いに賞賛すべきものを見つけるが、奇蹟を見出したりはしない[*39]。

＊35　*Ibid.*, p. 167.
＊36　Strauss, *What is Political Philosophy*, p. 42.
＊37　マキアヴェリ『世界の名著16　政略論』永井三明訳、中央公論社、一九六六年、二〇一頁。
＊38　マキアヴェッリ『君主論』河島英昭訳、岩波文庫、二〇〇三年、四七頁。
＊39　Strauss, *Thoughts on Machiavelli*, p. 204.

マキアヴェッリがいなければホッブスもいなかったと教える政治哲学の教科書は正しかったことになる。互いにテロルを突きつけ合う衆愚は、神の摂理は言うに及ばず、超人間的（super-human）な力能によっても安寧へと導かれることがけっしてない。彼らはただ、下位の人間（sub-human）の群れ同士で、もしくは群れの内部で、残虐と愚行を極めた勝者によってのみ、殺し合い、奪い合い、騙し合う畜生以下の生き物から〝普通の人間〟、つまり、信徒なりポリス的人間なりになることができる。善は悪から、道徳は不道徳から、正義は不正義から、そして安寧は始源的な恐怖からしか生まれない。たとえば共通善なる観念にしても、それは領地・領土の保全、外国による干渉や支配の排除、内部的には法の支配と違法者の処分、収容、矯正等々、いずれも実現可能な目標に下支えされており、それ自体として創設者の愚行と蛮行に背馳する〝共通悪〟を出自としている。言い換えれば、「すべての正当性は究極的にいって革命的基盤に依存する」[*40]。

《始まり》の再生産

マキアヴェッリはイタリアの統一という「現働化可能な構想」を抱懐していたが、チェーザレ・ボルジアが世を去り、次に期待を寄せたジュリアーノ・デ・メディチも急逝すると、それがすぐには無理であることを悟る。しかし、理想を追うにはあまりに現実主義的である一方、現実を放置したまま傍観者でいるにはあまりに理想主義的であったマキアヴェッリは、〝来るべき〟創始者と人民のための指南書を、主にその担い手となるであろう若者たちに照準を合わせて用意していた。『ディスコルシ』がそれである、とシュトラウスはいう。通常、『君主論』は君主制のための統治の技術論、『ディスコルシ』は共和主義の政体論であると考えられがちだが、シュトラウスによれば、両者の教え自体に違いはなく、『ディスコルシ』にもやはり、あるいはむしろ『君主論』よりもいっそう、「創始者」についてのより冷徹な洞察を読み取ることができる。「『ディスコルシ』は潜在的な君主に宛てられた同じ教えの提示である」[*41]。それは高位の身分ではないというだけで、それ以外は新しい君主、「創始者」になるためのあらゆる資質を備えていると思しき若者たちに向けられた君主論でもあったのだ。たしかに、「宗教団体であれ、王国であれ、あるいはまた共和国であれ、一つの共同体にとってより必要なことがらとは、それぞれが創設期にいただいていた名声をふたたびわがものとするように努力すること」[*42]であり、「このように国家を創設期の体制に復帰させるためには、ふつうただ一人の人間の力量《ヴィルトゥ》だけでたりる」[*43]という論点は、『ディスコルシ』でも幾度となく言及されているもの

＊40　Strauss, *What is Political Philosophy*, p. 42.
＊41　Strauss, *Thoughts on Machiavelli*, p. 21.
＊42　マキアヴェリ『政略論』四九二頁。

である。むろん、「ただ一人の人間の力量」とは、あの「始源的テロル」を担う「創始者」の力量／徳を意味している。

しかし、現存する国家、とりわけ一定程度の成熟をみる共和制下で「始源的テロル」を行使せんとする「ただ一人の人間の」企てにうまくゆく見込みなどないことは、すでに挫折を重ねていたマキアヴェッリには自明であった。『ディスコルシ』がある種の指南書、すなわち教育の書であったとしても、それは若者を即座に叛乱へと駆り立てるための扇動の書にはなり得ない。したがって、マキアヴェッリは別の、中長期的構想を組み立てねばならなかった。それは有り体にいえば、『ディスコルシ』に接した若者たちがやがて教育者となり、彼らがその弟子や学徒らにマキアヴェッリの教えを伝達したうえで、さらにその弟子たちが裾野を広げてゆく、というものであるが、シュトラウスはそこに、マキアヴェッリ特有のある明確な基本的着想を読み取る。マキアヴェッリが抽象的な訓戒の類いや「心の哲学」を綴るために筆をとる者ではまったくなかった以上、「現働化可能な目標」を立て続けた彼の着想は、より具体的な、あるいは現代的でさえある戦略概念としてあらためて表現、記述し直されなければならない、とシュトラウスは考えるのである。いかなる戦略か――。

シュトラウスが探り当てた答えは、「プロパガンダ」、つまり、プロパガンダ教育による国家権力の簒奪、国家の刷新、あるいはそのようなものとしての「始源」の恢復である。「ひとは人間の手によって力量／徳へと教育されねばならない。しかし、かのマキアヴェリアン、カール・マルクスを引用すれば、教育者たち自身もまた教育されねばならない」[*44]。教育の連鎖は、遠からず、いわば〝サイレント・テロル〟となって「創設期の体制への復帰」へと着実に歩を進めることになるであろう——。これこそがマキアヴェッリの企図であったとシュトラウスはいう。その際、マキアヴェッリにとって最良の手本、マキアヴェッリ自身の「教育者」となったのは、皮肉なことに、彼が心底呪っていたキリスト教であった。

マキアヴェッリにとって圧倒的に最も重要なモデルはキリスト教の勝利であった。キリスト教はローマ帝国を、武力を用いることなく、新しい諸様態と諸秩序をただ平和裏に広めること(propagating)によって征服した。マキアヴェッリは自身の企てが成功する望みを、キリスト教の成功に基礎づけるのだ。まさにキリスト教が異教主義をプロパガンダによって打倒することができるように、彼はプロパガンダによってキリスト教を打倒することができると信じるのである。現実の君主に捧げられる『君主論』は、マキアヴェッリがモーセを模倣していることを示唆するまでにいたっていた。潜在的な君主たちに捧げられる『ディスコルシ』は、マキアヴェッリが非武装の預言者、イエスを模倣しているという示

＊43　同書、四八九頁。
＊44　Strauss, *What is Political Philosophy*, p. 41.

唆へと行き着いていたのである。[*45]

かくして、シュトラウスは驚くべきテーゼを読者に突きつける。

もしも、私はそうであると信じているのだが、聖書が道徳と宗教の諸要求を最も純粋かつ最も仮借なきかたちで表明しているということが真実であるならば、『ディスコルシ』の中心的な主題は聖書の分析であるに違いない。[*46]

彼らが「創始者」たちであるかぎりにおいて仇敵をも模倣すること――これがマキアヴェッリの〝秘義的〟教えである。かつてひとりの「創始者」が磔にされた。「革命的基盤」は完成をみることなく潰えたのであり、イエスは敗れたのだ。非武装ゆえに敗者となったにもかかわらず、しかし、イエスの死後、キリスト教は教会や修道院を拠点とするプロパガンダによってローマを征服した。「聖フランチェスコと聖ドミニコとの力で本来の姿にひきもどされていなかったとしたら、いまごろキリスト教は完全に消滅していたことであろう」[*47]。こう述懐するマキアヴェッリが必要としたのは、謙遜と卑屈による人間の弱体化を人間の救済へとすり替えてきたキリスト教に抗するための、そしてなにより、そうした対抗をもってしてイタリアを統一するための、遂行可能な戦術と戦略であった。それはたとえば、死せる「創始者」が自身の不在において革命の企てに魂と求心力を吹き込んだ、などという頼りない後付けの理屈などとは無縁のものだ。彼が細心の注意とともに「分析」したのは、革命のための泥臭い道具立ての見積もりであり、彼が若者たちに模倣を期待したのは、「厳格で実行力をそなえていた」[*48]イエスの後継者たちであった。否、より正確には、マキアヴェッリは若者たちに、イエスを模倣する彼自身を模倣せよというのであった。「事実として」とシュトラウスは続ける、「預言者をある新しい秩序の設立者、単に政治的もしくは軍事的なものではない、すべてを包括する新たな社会秩序の設立者と呼ぶことが適切であるならば、マキアヴェッリはひとりの預言者である」[*49]。

日本の思想史に接したことがある者であれば、マキアヴェッリがイエスに向けたまなざしは、あるいはかつて荻生徂徠が孔子に向けたそれに近いと考えるかもしれない。ちょうど徂徠にとって孔子が挫折した先王、帝位のない「素王」であったように、マキアヴェッリにとってイエスは敗北した預言者であり、また、徂徠の儒学（朱子学批判）が雲散霧消して久しい礼楽刑政の制度構築的闘争へと通じる道であったように、マキアヴェッリの聖書読解は「始源」への

*45 Strauss, *Thoughts on Machiavelli*, pp. 172-173.
*46 *Ibid.*, p. 133.
*47 マキアヴェリ『政略論』四九〇頁。
*48 同書、四九〇頁。
*49 Strauss, *Thoughts on Machiavelli*, p. 83.

跳躍そのものだったのである。さらに、古《いにしえ》が新しさに、回帰が創始に直結するという着想も彼らに共通している。彼らの生は「始源」の一点のみ、始まりが始まったあの一点のみを探究する生であって、また、それで十分であったのだ。

マキアヴェッリはある有名な手紙で、彼が古代の著述家たちや作品群に負うているものの何たるかを証言している。夕刻になって書斎に入る際、彼は宮廷礼服を身に着けてきちんと正装したうえで、愛情をもって彼を迎えてくれる古代の者たちが待つ古代の宮殿へと入ってゆくのであった。そこで彼は栄養源を得ていたのだ。ただそれのみが彼自身のものであり、またそのために彼が生まれてきたところの、あの栄養源だ。そこで彼は古代人たちと余すところなく一体化したのである。かくして彼は貧困を恐れず、あらゆる苦悩を忘れ、死におびえることもなかった。[*50]

マキアヴェッリにとって、日常的な暦などには数えあげる価値すらなく、それはあたかも、何も記録されていない空のフィルムを虚しく回し続けるかの如きものであった。古文辞学の徒がそうであったように、彼は歴史を扱うとき、つねに非歴史的であった。彼は非歴史的に、より正確には、歴史横断的（trans-historical）に、直接、古代人と話をする。そのとき経験的時間は彼にまとわりつくのをやめ、暦はその低俗な重力で彼の生を縛りつけることがなくなる。宮廷礼服は「栄養源」（nourishment）へと自在に飛び立つための査証であった。

そんなマキアヴェッリの生き方を綴るときのシュトラウスは、奇妙なほど共感に満ち、慈しみとともに「愛情をもって彼を迎えて」いるようにすら見える。そこに「諸基準の下落」を招いた咎人の姿はもはや見あたらない。のみならず、シュトラウスの記述に接しているうちに、読者にはそれがマキアヴェッリの思考なのかシュトラウスの思考なのかが判然としなくなる場面にしばしば遭遇する。マキアヴェッリと「一体化」しているのはひょっとしたらシュトラウスそのひとではないかと読者は訝しく思うようになり、ついにはシュトラウス自身が、〝マキアヴェリアン〟とまではゆかずとも、マキアヴェッリだけのものであったはずの「あの栄養源」の法定相続人をもって自任しているのでは、という思いに駆られる。

古代の諸様態と諸秩序は、それらが忘却され、古代の彫刻群のように埋もれてしまっているがゆえに新しい。マキアヴェッリはしたがって、それらを掘り出さなければならない。古代の徳／力量の痕跡も、古代の諸様態と諸秩序の始源や継承物も残ってはいないからだ。とはいえ、彼は自分が古代の諸様態と諸秩序の何たるかを承知する最初で唯一の近代人であるなどと主張するものではない。誰もがそれらについて知っており、それらを称賛する

＊50　*Ibid.*, p. 121. 強調は訳者による。

者たちも多くいる。しかし、誰もがそれらは近代人によっては模倣され得ないと考えている。『ディスコルシ』の目的は、ただ古代の諸様態と諸秩序を照らし出すということのみならず、何よりも、それらは近代人によって模倣することができるということを証明することなのである。[*51]

シュトラウスの読者であれば、これが古典の注釈を長きにわたって粛々と続けてきたシュトラウス本人についてのことであると想像せずにはいられないだろう。「始源」は模倣され、何度でも恢復、反復され得る。「夜」を呼び込んでしまったその同じ人物が、彼の時代の誰よりも曙光を希求していたことを知るにいたったシュトラウスは、マキアヴェッリの告発者であると同時に、他の誰よりも彼のよき理解者でもあったのではないか——。この想像が単なる思い込みや気まぐれな当て推量でないとすれば、当時の治安当局から見たシュトラウスが最高度の要警戒人物リストに入っていたとしてもおかしくはない。というのも、彼が「愛情をもって迎える」マキアヴェッリは、古い諸様態と諸秩序の破壊者だからである。マキアヴェッリにあって模倣すべしとされるのは、新しさを得るための古さの破壊であり、彼が遡行する伝統、「掘り出さなければならない」徳／力量の痕跡は、伝統からの切断を要求する「非伝統の伝統」を踏襲し遂行するためのものであったことが、再度確認されなければならないだろう。

人間は生来（by nature）、善へと方向づけられているわけではなく、それゆえ実効性のある強制力と法によって制御されねばならないという前提のもと、マキアヴェッリの「創始者」は、まさに「反自然」の指導者であった。人間をして人間的たらしめる「善」もまた、それが「創始者」のもとで創出されたものであるかぎりにおいて反自然であり、自然の内にはない。「人間にあって人間的なるものは自然の外部にあるアルキメデスの点に存するという理解が暗黙裏になされている」[*52]。マキアヴェッリとシュトラウスを分かつ決定的な点はここであった。自然同様、形而下の事物でありながら自然の外部に位置づけられもする「創始者」の徳／力量、すなわち「始源的テロル」によって、「善」も社会も、何もかもが基礎づけられてしまう。マキアヴェッリ以後、たとえば「観念論」と呼ばれることになる哲学の潮流は、そうしたマキアヴェッリ的「唯物論」の衒学的な裏面にすぎず、自由の哲学的解釈は両者のあいだを往き来するだけのものとなった。

＊51　*Ibid.*, p. 86.
＊52　*Ibid.*, p. 297.

自由の「観念論的」哲学は、まさにそれを否定する身振りにおいて前提している「唯物論的」哲学を、補完し高尚なものに仕立て上げる。政治的事物（matter）を変形させる知力は、やがてあらゆる事物の変形、あるいは自然の征服について考えることを学習するのである。力能の魅力は手始めに数人の偉人たちを完全に魅了し、然るのちにすべての民族／国家（nations）を、そしてまさに、いわば全人類を魅了するのだ。[*53]

「観念論的」哲学という際、シュトラウスが念頭に置いているのは、ヘーゲル、あるいは前章でみたコジェーヴのことである。彼らは「暗黙裏に」マキアヴェッリに倣い、あらゆる出来事を洞窟内部で生じる「事物／物質」と「観念」とのあいだの往復運動に閉じ込める。畜生以下の暴戻が「創始者」による〝弁証法的逆転〟を経て、人の顔をした共同体を成立させるという舞台設定がこうしてできあがるのである。しかし、はたして、そこにマキアヴェッリが信じるほどの「新しさ」はあるのか。しかも、洞窟内では哲学者マキアヴェッリの企図は来るべき「創始者」のそれと合致し、さらに、それが人間の完全な自由と救済にかぎりなく近接させる企図であるかぎりにおいて、もはや宗教者さえ祈る必要がなくなる。「すべてを包括する新たな社会秩序」は哲学的思惟と政治的実践とを融合させ、信仰さえそのなかに溶解させる。そのための道具立ては、ふたたび、「プロパガンダ」であった。

プロパガンダは哲学と政治権力との一致を保証するものとなる。哲学は、哲学と宗教両方の機能を果たすものとなる。あらゆる所与の外部にあるアルキメデスの点の発見、もしくは根源的自由の発見は、あらゆる所与の征服を約束し、かくして哲学者たちと非哲学者たちとのあいだの根源的区別の自然的基盤を破壊するのである。[*54]

プロパガンダは来るべき「創始者」やその随伴者たちを量産する堅牢で複製可能なプログラムだ。それは静かに、そしてネズミ算式に、マキアヴェッリの哲学的な弟子を、宗教的な信徒を、そして政治的〝シンパ〟を増やしてゆくだろう。ところが皮肉なことに、その企てが成功裏に進めば進むほど、最終審級においてマキアヴェッリのシナリオは、彼が正装までして「古代の宮殿」から掬いあげたあの卓越、必要／必然が生じるその都度、眩い光を放つ人間の卓越の、「不名誉な死[*55]」へと漸近してしまうことだろう――。前章で見た歴史の終局に広がる光景のおぞましさは、マキアヴェッリの思想のなかにその原型を看取し得るとシュトラウスは考えていた。

＊53　*Ibid.*

＊54　*Ibid.*, pp. 297-298.

＊55　*Ibid.*, p. 298.

その一方で、しかし、シュトラウスはある事柄に関するマキアヴェッリの一貫した姿勢に最大限の敬意と信頼を寄せているようにも思われる。それは、「忘却され、古代の彫刻群のように埋もれてしまって」はいるが、哲学者であり宗教者でもあった「創始者」がかつて奇蹟のような政治的偉業を成し遂げたという事実の事実性に対するマキアヴェッリの揺るがぬ信である。かつて哲学と宗教が政治を媒介にして融合したという信、それは近代においても模倣され、出来し得るという信を、シュトラウスは、たとえばフロイトのモーセ解釈への批判的論考――『諸思考』初版と同年に発表された――においてもかたちを変えて擁護している。そこでシュトラウスは、いくつかの単純な理屈を長々と大真面目に語り始める。雑駁に素描すれば、モーセがエジプト人であったか否か、天啓があったか否か、神は存在するか否か等々の問いは、こんにちの科学的合理性の枠組み内部で立てられた問いであり、その枠組みから外れる者、ないしは外れようとする者たちの信は科学的合理性によって説明することができないだけでなく、むしろ科学自体もまた、そうした信を自らの支えとしている、といったものだ。

そうしたわけで、科学それ自体が究極的には非-合理的（nonrational）な選択に依拠している。大なり小なり自分らの脆弱な諸理論に完全に没頭している者たちは言うに及ばず、科学に完全に身を捧げている者たちが神経症的強迫観念によって駆り立てられている、などという結論をわれわれは導き出そうとするものではない。それどころか、彼らの諸前提

（科学には無限の謎と際限なき仮説が必要という前提等）が正しいのであれば、思慮のない放浪者か守銭奴になりたいというわけでもないかぎり、人間は科学と非-科学（nonscience）、たとえば科学と宗教のいずれかから非合理的に選択するという選択をするほかない、というべきだろう。[*56]

マキアヴェッリが信じた事実の事実性は、「創始者」たちの人間離れした諸々の偉業や出来事群、たとえばモーセの出自や海割り等々についての科学的証明などにはない。イエルサレムの民がモーセを信じる選択をしたという事実、あるいはヒエロンがシュラクサイを、ロムレスがローマを建国し、神格化であれ悪魔化であれ、人民が彼らを畏怖し崇敬したという事実のみに、彼の「栄養源」となる唯一の事実性があった。崇敬（reverence）を〝集団ヒステリー〟の類いに帰すか否かという問いを立てること自体が、「科学と宗教のいずれかから非合理的に選択するという選択」によって、つまり事実性の選択によって生じる。

決定的に重要な事例は、設立者＝律法者（founder-legislator）をめぐるものである。われわれは太古の最も智慧ある者たちが何を思い浮かべていたかについて知り得ないが、変わり

＊56　Leo Strauss, "Freud on Moses and Monotheism," p. 305.

得ぬものと理解される古代の律法という現象については少しばかり知っている。その変わり得ぬ特徴はその完璧さ／完成態（perfection）へと遡るものであった――ということは、つまり律法者の完璧さ／完成態へと遡ったということだ。すなわち、それはもはや了承されない何かへと遡ったということである。そこでわれわれは、無批判的な（uncritical）崇敬という現象に立ち会っている。[*57]

シュトラウスはむろん、「設立」されたものの善し悪しを問わないわけではない。「始源的テロル」が行使された然るのちに必要とされるのは「善」の制度化であり、政治的には共和制であるというマキアヴェッリの主張を、シュトラウスは支持する。シュラクサイの僭主制は一代のみであったし、ヌマがいなければローマは存続し得なかった。ユダヤ教とキリスト教については言わずもがなである。しかし、シュトラウスが最大限の「愛情をもって」受け入れ、相続したのは、年代記的に眺めれば遠い過去に属する「設立者＝律法者」たちへの崇敬がこんにちにいたっても持続されているという事実の事実性、彼らが「完成態」に達していたがゆえに、彼らが始めた始まりはつねに新しいという事実性への信であり、彼はそれをマキアヴェッリが生きた生の中心に認めていたのである。

批判以外での大きな相違点はふたつある。ひとつめは「プロパガンダ」、もしくは教育をめぐるものだ。マキアヴェッリ同様、シュトラウスは教育を重視していたが、ここで教育というのは一般教養教育、つまりリベラルアーツであって、彼はいわゆる専門課程よりもこちらを優先すべきであると考えていた。ただし、そこにマキアヴェッリが抱いていたような政治的企図があったかどうかは疑わしい。「一般教養教育がいつかは普遍的教育になりえるなどと期待してはならない。それは常に、少数者の義務であり特権であるにとどまるであろう。また、一般教養教育を受けた者が独自に政治権力を得るであろうなどと期待することもできない」[*58]。これを額面どおりに受けとめるべきか否かは議論が分かれるところであろうが、門下生の多さや彼らの各界への進出ぶりに鑑み、〝シュトラウス恐怖症〟の面々であれば、この一節からマキアヴェッリ的な意味でのプロパガンダ教育を連想していたとしても無理からぬことであったろう。いずれにせよ確実にいえるのは、しかし、シュトラウスは一般教養教育が哲学探究のとば口であるとしても、その哲学が万人に受け入れられ、「普遍化」されることが可能であるとも望ましいことであるとも考えてはいなかったということだ。「少数者の義務であり特権」を享受した者のうちのさらに一部のみが、哲学という生き方を選択し得る。「哲学者たちと非哲学者たちとのあいだの根源的区別」は乗り越えがたいものであり、またそれで何ら問題ないと彼は考えていたのである。あるいはむしろ、この「区別」、この架橋不能な懸隔の意識もしくは意思

＊57　*Ibid.*, p. 302.
＊58　シュトラウス『リベラリズム　古代と近代』三七頁。

それ自体が、政治的、社会的現実に対するシュトラウスの認識の強さと鋭さを雄弁に語っているともいえる。

ところが、そうした「根源的区別」が一気に吹き飛んでしまう契機について、シュトラウスはマキアヴェッリと同じ予期をしていたと思わせるくだりが、当のマキアヴェッリ論のなかにある。全編にあって比較的目立たぬ一節だ。

> 古典的政治哲学は、諸都市の救済が哲学と政治権力の偶発的一致（coincidence）、真に偶発的な両者の一致に依存していると教えていた――それは、ひとがそれを切望したりそれに希望を抱いたりすることはできるが、ひとがそれをもたらすことなどできないような何物か（something）である。[*59]

これがマキアヴェッリの教説ではなく、「古典的政治哲学」のそれであることに注意しておこう。実際、シュトラウスはマキアヴェッリがこの古典的教えを「信じた最初の哲学者」[*60]であると明言しており、逆に「マキアヴェッリの教え」（Machiavelli's Teaching）というのはこの直後に続く章（第四章）の見出しとなるものである。したがって、シュトラウスの仕事における古典哲学の特別な位置づけを考慮に入れれば、それはシュトラウス自身が「崇敬」を寄せる古典から掬いあげた「教え」である可能性が非常に高い。だとすれば、この「教え」こそが、彼の通常の政治哲学とは根源的に異なる、シュトラウスの〝秘義〟としての《政治哲学》であると考えることには相当程度の妥当性があることになる。天啓にも似た、否、天啓そのものであるとさえいい得る出来事を担う哲学者／創始者の《政治哲学》であり、それはもはや哲学の下位に位置づけられるものではなく、哲学と同一の、哲学としての《政治哲学》であることだろう。実際、マキアヴェッリが提示する闘う「創始者」としてのモーセ像をシュトラウスは否定していない。闘う聖人としてのモーセに「一体化」していたのは、シュトラウスも同じであったのかもしれないのだ。ただし、ここでも重要な留保が付されるのであって、それが二点目の相違である。マキアヴェッリとは異なり、政治と哲学との一致、もはや宗教的でもあるところのその一致は、「真に偶発的な一致」であり、奇蹟にも比される「何物か」であるということだ。それはプロパガンダを含む政治的企図によって生産・再生産されるようなものではない。

とはいえ、《政治哲学》を、〝奇蹟〟に希望をつなぐ革命待望論のようなものと考えるのは、まったくの誤りではないにせよ、いささか精確さに欠ける。シュトラウスが待ち望んでいたものがあるとすれば、それは革命そのものというよりは——たしかに同じ結果を招く公算は高いが——「創始者」のほうである。シュトラウスを黙して「世界」を倦むだけの厭世主義者と見

＊59　Strauss, *Thoughts on Machiavelli*, p. 173.
＊60　*Ibid.*, p. 302.

なすことが的外れである理由もここにある。先述の宗教者を前にした講演は、あきらかな政治的介入であったが、それが研究機関であり「教育」機関でもある大学でおこなわれたことは象徴的であるだろう。哲学者、科学者を再生産する場所で宗教者に政治的教唆をおこなうということ、あまつさえ宗教者であれば「実践的」であれと主張することには、「創始者」を切望したマキアヴェッリの戦略の一端が朧げに見え隠れしているともいえる。してみれば、そこで説かれていた宗教者の「離脱」の意味合いも、違った含みをもってくるだろう。ようするに、彼は「イエルサレムの民」の敬虔さに賭け、彼らにいまは雌伏して待つよう、そしてその間、懐刀を研いでおくよう呼びかけていたとも受けとれるということだ。実際、神学の時代が訪れる直前のユダヤ系哲学者たち、ならびに初期キリスト者や修道院の設立者たちにはあきらかに戦闘的性質があった。[*61]

シュトラウスにとって、この世のありとあらゆる悖理《はいり》を産み堕とし続けるのは、人に強制と隷従を課さずにおかない政治的現実であり、それは煉獄へと向かう者たちが群居する、この貧しい「世界」の骨相そのものであった。政治哲学者は、したがって、その醜悪な骨格にいくらか見栄えの良い外皮をまとわせ、政治的行為者、演技者たちの荒々しい息遣いや不快な口臭で酸欠気味になっている洞窟内の通気を少しでもマシなものにするよう努める。シュトラウスには、しかし、洞窟内の酸素そのものがもはや尽きかけていると感じられていたのかもしれない。マキアヴェッリに諭されるまでもなく、哲学者／創始者が、いかなるかたちのものであれ「始源的テロル」を行使する者であること、マキアヴェッリ的「創始者」の原初的な「強欲さ」や残虐性とは縁がないにせよ、基本的には自己の愉悦を身勝手に追究する者であるのに変わりがないことをシュトラウスは十分に承知していたものの、眼前に広がる現実は、是非もなく《政治哲学》に則した実践を彼に要求していたように思われる。

世界の夜という乏しい時代は長い。その夜はまず長時間を経て、その本来の中心へと至らなければならない。この夜の深夜に至れば、時代の乏しさは最もひどい。そこにおいては、この欠乏の時代は、その欠乏を経験することすらできない。乏しいことという欠乏をさえ無理解の暗黒へと追いやってしまうこの不能、それこそがまさしく時代の乏しさなのである。この欠乏は、ただ単に満たされんことを欲しているような欲求という現れ方をすることによって、完全に正体をぼかされる。しかしそれにもかかわらず世界の夜は、厭世観と楽天観との此岸で起る時運として考えうるのである。おそらく今、世界の夜はその中心に向かって進みつつある。おそらく時代は、今や完全に乏しき時代になりつつある。[*62]

＊61　この「戦闘的性質」に関しては、拙稿「せめて風狂であるために——パレーシア論について」（『フーコー研究』岩波書店、二〇二一年）を参照されたい。

長嘆息を絞りだすようにして綴られるハイデガーの診断は、やはり内省を重ねて神経過敏になった詩人や哲学者の大仰な現状認識に過ぎないのだろうか。それとも、そうした認識を共有できない者たちのほうが自身の「欠乏を経験することすらできない」までに愚鈍なのだろうか。シュトラウスによれば、前者を是とする者たちと後者を是とする者たちとのあいだには厳密にいって折衷的な立場などない。

＊62　マルティン・ハイデガー『乏しき時代の詩人』手塚富雄・高橋英夫訳、理想社、一九七八年、一〇一一一頁。

初出一覧

布　施　哲
（ふせ・さとし）

名古屋大学大学院人文学研究科准教授。

1964年生まれ。慶應義塾大学法学部政治学科卒業、エセックス大学で博士号取得（政治哲学）。

主な著書に『希望の政治学──テロルか偽善か』（角川学芸出版）、『フーコー研究』（共著、岩波書店）、『現代思想と政治──資本主義・精神分析・哲学』（共著、平凡社）など。

カバー図版 ｜ エドワード・ホッパー『ナイトホークス』

Edward Hopper, *Nighthawks*, 1942
Oil on canvas/ 76.2 × 152.4 cm/ The Art Institute of Chicago

世界《せかい》の夜《よる》——非時間性をめぐる哲学的断章

著　者　布施 哲
発行者　大村　智
発行所　株式会社 航思社
〒301-0043 茨城県龍ケ崎市松葉6-14-7
tel. 0297(63)2592 ／ fax. 0297(63)2593
http://www.koshisha.co.jp
振替口座　00100-9-504724
装　丁　前田晃伸
印刷・製本　モリモト印刷株式会社

2021年10月31日 初版第1刷発行

（定価はカバーに表示してあります）

ISBN978-4-906738-23-6　C0010

天皇制と闘うとはどういうことか

菅 孝行　四六判 上製 346頁　本体3200円

真の民主主義のために　沖縄、改憲、安保法制……70年代半ばから天皇制論を発表してきた著者が、代替わりを前に、敗戦後の占領政策問題、安倍政権批判に至るまでの反天皇制論を総括、民衆主権の民主主義に向けた新たな戦線のための拠点を構築する。

演劇で〈世界〉を変える 鈴木忠志論

菅 孝行　四六判 上製 304頁　本体2700円

「世界水準」の演劇の誕生　同世代の評論家・劇作家として併走してきた著者が、鈴木忠志のこれまでの活動と、東西の古典劇や歌謡曲を再構成した独創的な作品を、時代背景とともに精緻に分析、「世界認識の媒介」「世界変革」としてのありようを剔出する。

夢と爆弾 サバルタンの表現と闘争

友常 勉　四六判 上製 400頁　本体3800円

反日・反国家・反資本主義　東アジア反日武装戦線、寄せ場労働者、被差別部落、アイヌ民族、在日……当事者による様々な表現・言説の分析と革命の（不）可能性をめぐる考察。

錯乱の日本文学 建築／小説をめざして

石川義正　四六判 上製 344頁　本体3200円

「総力戦」の時代におけるデザインと代表＝表象をめぐる、大江健三郎、村上春樹、小島信夫、大岡昇平などの現代小説と、磯崎新、原広司、伊東豊雄、コールハースらの現代建築――文芸批評と建築・文化批評のハイブリッド。

チビクロ 松本圭二セレクション第９巻

松本圭二

四六判 仮フランス装 368頁　本体3400円

詩人はすぐれた批評を書けなければダメだ　朔太郎賞詩人にしてフィルム・アーキヴィストはそう断言する。大岡信、稲川方人、岡田隆彦、絓秀実、渡部直己、イーストウッド、ヴェンダース、ゴダールを相手に、何をどのように論じたのか。著者30歳から書きつづってきたエッセイ&批評の集大成。

天皇制の隠語《ジャーゴン》

絓 秀実　四六判 上製 474頁　本体3500円

反資本主義へ！　市民社会論、新しい社会運動、文学、映画……様々な「運動」は、なぜ資本主義に屈してしまうのか。日本資本主義論叢からひもとき、小林秀雄から柄谷行人までの文芸批評に伏在する「天皇制」をめぐる問題を剔出する表題作のほか、23編の論考を収録。

暴力階級とは何か 情勢下の政治哲学2011-2015

廣瀬 純　四六判 並製 312頁　本体2300円

「暴力が支配するところ、暴力だけが助けとなる」

2011年の日本・反原発デモから、15年のシャルリ・エブド襲撃事件、ヨーロッパでの左翼政党の躍進、イスラム国の台頭まで、国内外の出来事のなかで思考する暴力と生、闘争と蜂起の新しいかたち。創造と自由のためのレッスン。

資本の専制、奴隷の叛逆

「南欧」先鋭思想家８人に訊くヨーロッパ情勢徹底分析

廣瀬 純　四六判 並製 384頁　本体2700円

テロ、移民、負債、地方独立……「絶望するヨーロッパ」では何が起きているのか。イタリア、スペイン、ギリシャの最前線の思想家がラディカルに分析。日本の社会運動はそこからどのような教訓を得、自らを立て直すのか。

近代のはずみ、ひずみ 深田康算と中井正一

長濱一眞　A5判 上製 416頁　本体4600円

今もなお我々は「近代」のさなかにある　平民として自発的に統治に服す大正の教養主義が「民主」の言説ならば、昭和前期に「独裁」が勝利した滝川事件を機にいずれとも相容れない知識人が現出した――。２人の美学者を解読しつつ天皇制、資本主義－国家、市民社会等を批判的に剔抉する。

NAM総括 運動の未来のために

吉永剛志　四六判 並製 400頁　本体3600円

「資本と国家への対抗運動」は何に行き詰まったのか
20世紀最後の、そして21世紀最初の日本の社会運動体、NAM（New Associationist Movement）。思想家・柄谷行人が提唱し、著名な知識人や若者が多数参加した「対抗運動」はなぜ、わずか２年半の短期間で解散したのか。解散から20年、運動の「現場」の視角から総括し問題提起する。

存在論的政治　反乱・主体化・階級闘争

市田良彦　四六判 上製 572頁　本体4200円

21世紀の革命的唯物論のために　ネグリ、ランシエール、フーコーなど現代思想の最前線で、そして9.11、リーマンショック、世界各地の反乱、3.11などが生起するただなかで、生の最深部、〈下部構造〉からつむがれる政治哲学。『闘争の思考』以後20年にわたる闘争の軌跡。

平等の方法

ジャック・ランシエール 著　市田良彦ほか 訳

四六判 並製 392頁　本体3400円

ランシエール思想、待望の入門書　世界で最も注目される思想家が自らの思想を、全著作にふれながら平易な言葉で語るインタビュー集。感覚的なものの分割、ディセンサス、無知な教師、不和、分け前なき者の分け前など、主要概念を解説。

もはや書けなかった男

フランソワ・マトゥロン 著　市田良彦 訳

四六判 並製 200頁　本体2200円

「きみにこのテキストを送る。ぼくにはこのテキストが自分以外の人のためになるのか分からない。きみには？」。脳に障害を負った哲学者が、重い後遺症のなかで、アルチュセール、スピノザ、ベンヤミンなどに寄り添いながら思想をつむぎだすさまを、みずから描き分析した手記。

啓蒙と神話　アドルノにおける人間性の形象

藤井 俊之　A5判 上製 368頁　本体3800円

市民社会のアポリアに挑む　フランクフルト学派の異端の思想家がベケット、ベンヤミン、ワーグナー、ゲーテ、ベートーベンなどの文芸批評・音楽批評を通じて描いた近代市民社会批判＝「人間性」概念批判を丹念にわかりやすく読み解き、新たな光を当てる。

ヤサグレたちの街頭

瑕疵存在の政治経済学批判 序説

長原 豊　四六判 上製 512頁　本体4200円

ドゥルーズ＝ガタリからマルクスへ、マルクスからドゥルーズ＝ガタリへ　『アンチ・オイディプス』『千のプラトー』と『資本論』『経済学批判要綱』を、ネグリやヴィルノ、ランシエール、宇野弘蔵、ケインズなどを介しつつ往還して切り拓くラディカルな未踏の地平。政治経済（学）批判——その鼓膜を破裂させるほどに鳴り響かせる。

敗北と憶想　戦後日本と〈瑕疵存在の史的唯物論〉

長原 豊　四六判 上製 424頁　本体4200円

日本のモダニティを剔抉する　吉本隆明、小林秀雄、花田清輝、埴谷雄高、丸山眞男、萩原朔太郎、谷川雁、黒田喜夫……過去の受け取り直しを反復し、差異を感受－甘受すること。近代日本における主体と歴史、資本主義の様態を踏査し、〈瑕疵存在の史的唯物論〉を未来に向けて構築するために。

2011　危うく夢みた一年

スラヴォイ・ジジェク 著　長原 豊 訳

四六判 並製 272頁　本体2200円

この年に何が起きたのか？　ウォール街占拠運動、アラブの春、ロンドンやギリシャの民衆蜂起、イランの宗教原理主義の先鋭化、ノルウェイの連続射殺事件、そして日本での福島原発事故と首相官邸前行動……はたしてこれは、革命の前兆なのか、それとも保守反動の台頭なのか？

コミュニズムの争異　ネグリとバディウ

アルベルト・トスカーノ 著　長原 豊 訳

四六判 上製 308頁　本体3200円

日本独自編集・出版　マルクスの思想を刷新して世界的に注目される俊英が、自らの2人の師ネグリとバディウの理論を極限まで展開し、さらなる展望を開く——2人の入門書にして、来るべきコミュニズムを構想する最前線の思想。

革命のアルケオロジー

21世紀の今こそ読まれるべき、読み直されるべき、マルクス主義、大衆反乱、蜂起、革命に関する文献。洋の東西を問わず、戦後から80年代に発表された、あるいは当時の運動を題材にした未刊行、未邦訳、絶版品切れとなったまま埋もれている必読文献を叢書として刊行していきます。

アルチュセールの教え

ジャック・ランシエール 著　市田良彦ほか 訳

四六判 仮フランス装 328頁　本体2800円

大衆反乱へ！　哲学と政治におけるアルチュセール主義は煽動か、独善か、裏切りか――「分け前なき者」の側に立脚し存在の平等と真の解放をめざす思想へ。思想はいかに闘争のなかで紡がれねばならないか。

風景の死滅 増補新版　【品切れ】

松田政男　四六判 上製 344頁　本体3200円

風景＝国家を撃て！　あらゆる細部に遍在する権力装置としての〈風景〉にいかに抗い、それを超えうるか。21世紀における革命／蜂起論を予見した風景論が、40年の時を超えて今甦る――死滅せざる国家と資本との終わりなき闘いのために。

68年5月とその後　反乱の記憶・表象・現在

クリスティン・ロス 著　箱田 徹 訳

四六判 上製 478頁　本体4300円

ラディカルで行こう！　50年代末のアルジェリア独立戦争から、21世紀のオルタ・グローバリゼーション運動に至る半世紀、この反乱はいかに用意され、語られてきたか。現代思想と社会運動の膨大な資料を狩猟して描く「革命」のその後。

戦略とスタイル 増補改訂新版

津村 喬　四六判 上製 360頁　本体3400円

日常＝政治＝闘争へ！　反資本主義、反差別、反ヘイト、日中・日韓、核／原子力、フェミニズム、生政治、都市的権力 / 民衆闘争……〈いま〉のすべてを規定する「68年」。その思想的到達点。「日本の68年最大のイデオローグ」の代表作。

横議横行論

津村 喬　四六判 上製 344頁　本体3400円

「瞬間の前衛」たちによる横断結合を！　抑圧的な権力、支配システムのもとで人はいかに結集し蜂起するのか。全共闘、明治維新、おかげまいり、文化大革命、ロシア革命などの事象と資料を渉猟、「名もなき人々による革命」の論理を極限まで追究する。

哲学においてマルクス主義者であること

ルイ・アルチュセール 著　市田良彦 訳

四六判 上製 320頁　本体3000円

「理論における政治／階級闘争」から「政治／階級闘争における理論」へ！　革命の前衛であるはずの共産党が「革命」を放棄する――1976年のこの「危機」に対抗すべく執筆されたまま生前未刊行だった幻の〈哲学入門書〉。哲学者は哲学者としていかに政治に現実的に関わりうるのか。

歴史からの黙示 アナキズムと革命 増補改訂新版

千坂恭二　四六判 上製 384頁　本体3600円

資本制国家を撃て！　ロシア革命の変節、スペイン革命の敗北、そして1968年の持続と転形――革命の歴史をふまえて展開される、国家廃絶をめざす「アナキズム」。1968年闘争期におけるアナキズム運動の総括文書「無政府主義」などを増補。

哲学者とその貧者たち

ジャック・ランシエール 著　松葉祥一ほか 訳

四六判 上製 414頁　本体4000円

政治／哲学ができるのは誰か　プラトンの哲人王、マルクスの革命論、ブルデューの社会学（そしてサルトルの哲学）……かれらの社会科学をつらぬく支配原理を白日のもとにさらし、労働者＝民衆を解放する、世界の出発点としての「知性と感性の平等」へ。

シリーズ続刊

RAF『ドイツ赤軍（I）1970-1972』

ジャック・ランシエール『政治的なものの縁で』

……